오래된 사랑의 실체

청춘문고

모든 혁명이 낭만적일 수는 없어도,
모든 낭만은 혁명적일 수 있다

나는 당신의 중력을 기억한다

차례

──────── 2부 세상의 끝을 조각하다 ────────

───────── 3부 엔딩 크레딧 ─────────

서문

연작 영화는 끝나지 않았다.

모든 사랑의 속삭임은 연인만이 이해할 수 있는 방언이다. 여전히 방언뿐인 세계를 꿈꾼다. 따라서 우리는 모든 중심에서 모든 바깥으로 치는 파도를 거슬러 오래된 사랑의 실체를 찾아야만 한다. 세계는 해독解讀의 실패를 인정할 때 비로소 해독解毒에 성공할 것이다. 다시 한 번 이제껏 알던 로맨스에게 아듀

1부
오래된 사랑의 실체

오래된 사랑의 실체

언어가 버린 고아
이것이 오래된 사랑의 실체다

너는 나의 관성이고
사랑은 사람의 관성이다

이 힘 중심에의 적요
그곳에서 세상은 발굴된다

쏟아지는 경계 너머로
아무것도 아닌 모든 것이 온다

詩外 버스터미널

그래 이쯤에서 영화를 찍기 시작했을 거야

폭염처럼 끈적였던 사랑이 가을 바람에
서서히 말라가던 순간
여행은 끝나고 이야기를 시작했어

첨예하게 나뉜 길 위로 떨어지는 잎사귀들
상향등을 켜고 양쪽으로 달리는 차들을
목격하며 타지의 골목을 걷고 있었어
진행의 속도가 전부 다른 세상을

실어증에 걸려 모국어를 발음하지 못했으므로
밤이 온 해변에 오래오래 무릎을 꿇고 있기도 했다

헤맴이 노동이 된 걸 알게 된 순간은

운명이 너무 두려워
한쪽 팔목으로 이마의 땀을
한쪽 팔목으로는 눈 밑의 눈물을 닦았어

해진 시외버스터미널 대합실 의자에 무너져 있는
말을 버려서 말을 찾아야 하는 여행자에게
자신의 문법을 전해주고 본인은 벙어리가 되려는
순교자가 다가올 때 난 조명이 될 성냥불을 켰지

그녀의 목소리가 세상을 옮길 때는
대웅전 처마의 풍경소리와 먼 바다의 파도소리가
귓가에서 메아리 쳐 울렸는데
그건 그녀의 울음소리이자 신음소리, 노랫소리였다

아침이 와 눈을 뜨듯 목소리의 커튼을 열고

그녀의 발음으로 세상을 읽기 시작했어
벙어리가 된 여자를 태운 버스는 떠나고
내 몸에서는 익숙하지 않은 꽃향기가 났지
꽃말이 없을 것 같은 꽃의 향기가

여행자는 이제 시를 쓰지 않고도 대화할 수 있지만
화면 속에서 사라진 그녀는 어떻게 되었을까
잊을 수 없던 나는 버스표를 끊었어

시나리오는 여기서 다시 시작될 거야

무인도

바다에 구름의 아파트가 솟았다
거기에 방 한 칸 빌려 숨었다

하늘길 열리고 누군가 내려앉으려 했다
눈물로 갑판을 만들어 떠났다

우리가 같은 사람이라는 것이
납득이 될 때까지 숨어 살기 위해서

마을이 왜 아직도 있는지 몰랐다

외해의 파도 위에는 꽃이 피지 않는다
꽃 피는 땅으로 갈 때는 이유가 필요했다

길이 아닌 곳을 길이라 하지 않는다

바다로 땅으로 길이 아닌 곳을 가르며 간다

꽃말이 없는 꽃을 찾는다

아웃트로

곁으로
너와 나 사이의 거리를 깨고
맨살이 맞닿고 세포와 세포가 만나는
나의 밖으로

시를 쓰면 보이는 과거에
탈피하기 전의 어린 껍질이 매달려있고
그 하늘에서는 잃어버린 사람들의
지문이 흘러 다닌다

너는 나의 번데기들을 눈빛 막대에 꿰고
내 마음을 씹어먹는다
음미는 내가 한다

끊어진 징검다리 사이

하나의 짝사랑이 솟아 그걸 밟고
다시 앞으로

지겹도록 외로운 트랙 다음
인생을 일시정지 했다가
동굴 밖으로
너의 곁으로 가고 싶어
고독을 반복재생하고

시와 시 사이를 돌아서
죽음과 탄생 사이를 돌아서
마지막에는 노래로

무아지경의 노래도 출구를 못 찾지만
난 노래에 미친놈이 아냐

노래가 미친놈이지

플라톤이 싫어하는 사람이 되고
존경하는 사람들의 생각이 경멸하는 생활이 되어도

밖으로
곁으로

자꾸만 나서게 되는데
끝내는 노래의 다음으로도
음반이 멈추기 전 찰나의 정적으로도

우리는
존재하고 싶다

우주 이슬 굴리기

1. 쇠똥구리의 입장
쇠똥구리가 갈색 경단을 굴리고 있다
흙을 헤치며 굴러가는 쇠똥의 힘
그 힘은 뒷발을 든 쇠똥구리에게서도 오고
쇠똥구리가 모아 온 분비물의 집합됨에서도 오고
원이 굴러가는 관성에서도 온다

누군가의 배설물도 이렇게 아름답게 움직일 수 있는
것이다

쇠똥구리 암컷은 탐스러운 경단 속에 알을 낳는다

2. 아스팔트 운동장
아이들이 있는 곳이 운동장이다
운동장에서는 되도록이면 아이들의 규칙을 준수할 것

쪼그려 앉아서 머리를 땅과 닿기 직전까지 숙인다
구슬을 치기 위해 튕기는 손끝에서 불꽃이 튄다

구슬 안의 곡선이 돌아가는 걸 지켜본 적이 있다

눈동자가 우연한 곡선을 따라 구르고
구슬과 구슬이 마주칠 때 곡선도 정지한다

구슬이 마주치는 소리는 아이들의 웃음소리와 같다

무작위로 그려 넣은 곡선의 기하학이
긴장한 손가락, 투명한 구슬, 단수와 복수, 웃음,
운동과 정지의 순간을 은유한다

3. 우주 이슬 울리기
혹은 향유한다 이 오페라를

마탄의 사수의 마지막 탄환은 연인을 맞출 예정
이었다

악마의 사주를 받아 사랑을 완성한다
비극과 희극의 경계가 사라지고
울면서 미소를 짓는다

눈물이 뺨으로 항해를 시작할 때
한스러움이 조타수가 되어 힘차게 키를 돌린다

슬픔과 기쁨의 온도 차이로 이슬이 맺힌다

이 과정을 성장이라고 명명할 수 있다

4. 지구를 공전 시키는 당신
지구는 우리 은하가 흘린 눈물 한 방울이다

이 눈물의 궤도를 따라 푸른 빛이 우주에 그어지고
다른 은하의 주민들은 지구가 공전하는 소리를
아름답게 듣는다

그들은 태양계를 찾아 외우주로 풍선을 띄울 것
이다
풍선 안에 그들의 언어로 고백한 사랑의 편지가 담
겨있고
편지는 전부 은하의 눈물을 만든 당신에게 부쳐질
것이다

그렇게 우주를 건너 칭송을 받으며
당신은 고마운 마음에 또 눈물을 흘릴 것이다

그 이슬 안에서도
모두가 각자의 작은 구슬을 굴리고 있을 것이다

쌍둥이 지구 논증

우리가 모두 자신의 절반을 오래된 노래에 남겨두
고 태어났기 때문에

가끔 이어지는 윤회의 오작교 건너에
또 다른 행성이 있다고 생각한다 그곳은
오랜 연인이 헤어지지 않아도 어른이 되는 곳
누구도 누구의 중력을 빼앗지 않으며
마을 입구의 고목만큼 그리움이 뿌리 깊고
그 그림자에서 눈물 닦아낼 수 있는 곳
가끔씩 그곳은 이쪽 지구의 흉터가 수런거림을
미리 알아채고 다리를 건너오는데
젖은 일기의 한 페이지가 작성되지 않은 날이며
네 이름을 부르길 머뭇거리지 않은 한 순간
손을 잡아준 영점일초다
어떤 고결함을 이유로도 싸우지 않게 해주시고

나란한 그림자가 겹치게 되는 밤거리와

홀로일 때도 따뜻한 우주를 준비해 주시며

어긋난 문장을 다시 조각 맞춰 주소서

건널목에서 헤어지기 전 한 마디

더 할 수 있는 시간이 주어진 곳

한 발의 총알이 스스로 불행을 깨닫고 불발을 자
처하고

넘어진 아이를 균형 위로 일으켜주는

먼지 쌓인 비올라의 활을 은근히 옷장 위에서 떨
어트리는 행성

강박증에 실오라기 하나 빠져있는

너와 내가 모른 척 각자의 방으로 돌아가지 않고

한 번 더 무릎을 스치며 만나게 되는

인화된 사진들의 날짜는 같지만

변환된 우리 심장의 속도는 다른

그런 날 슬픔의 편지를 모두 반송시켜 주는
나머지는 너의 머리칼 수까지 완전히 같은
그런 쌍둥이 지구가 가끔씩 연결된다

그래서 때때로 우리는 자신의 맥박을 느낀다

일

피아노 건반을 색칠하는 일
그래서 더 알록달록한 음악을 그리는 일

할아버지의 주름진 손을 잡는 일
내 손이 그와 같아지도록
너의 손으로 내 손 위에 시를 쓰는 일
그 굴곡을 오랫동안 만지는 일

밤이 오면 전등이 켜지지 않아야 가능한 일
때로는 촛불을 켤 줄 알아야 하는 일

촛농처럼 떨어지는 뜨거운 진실의 속삭임을 듣는 일

동시에 필연이라고 가라앉힌 것들을 우연으로 띄워
올리는 일

그리하여 차가운 곳에 내린 뿌리를 들어내어
녹은 땅으로 향하게 하는 일

이 과정을 잊지 않는 일

추상의 세계에서 지금의 세계를 반추하는 일
정물화 속으로 상징이 저절로 스며드는 일

담장을 계절마다 가꾸는 일 그리고 문을 열어 놓는 일
절대로 작은 세계에서부터 시작하는 일
그것은 서로의 눈시울을 만지는 일

꽃향기 은은한 봄의 머리카락에 얼굴을 비비는 일

도시락으로 입맞춤할 때의 공기를 싸는 일
그 따뜻한 맛이 새어 나와 세상이 훈훈해지는 일

우주를 가로질러 온 행로에 마침표를 찍을 줄 아는 일

마치 탁자 위 꽃병에 혜성을 꽂는 일

우리의 자식들이 그 병에 담긴 물과 빛을 갈아주리라
믿는 일

연주가 끝나면 무대 밖의 숲으로 나가는 일
초록의 잎들이 눈으로 가득 불어오는 일

오랫동안 내 일을 대신해 온 감각과 감정을 쉬게
하는 일

마지막으로 숲속에 숨은 문을 찾아가 두드리는 일

정전된 세상

정전(停電)된 세상은 정전(停戰)된 세상일까
어둠과 함께 잃어버린 건
정적과 평화

한날 한시 전자들이 잠들어버린다면
맨 먼저 온 전쟁터의 공격 명령이 멈추고
겁먹은 우리들이 더 이상 미치지 않도록
타인의 영역이 아닌 집으로
한 통의 손편지처럼 느긋이 돌아가게 하라
숫자들은 숫자들로만 남게
추악한 증권거래소의 검은 손을 잡고
직접 수확한 쌀과 보리를 씻게 하라
그리하여 일하지 않아 찌든 때를 벗게 하라
식탁엔 촛불을 밝히고 청결한 손으로 수저를 들며
텔레비전은 없어도 좋으리라

누군가는 조용한 가운데 기도를 하겠으며
누군가는 아기를 위해 책을 읽어주며 식사에 들리라
그렇게 굶는 자를 줄이고 함께 배부르게 하라
거리에서는 어떤 대형화면의 광고도 뉴스도 없고
사람들이 직접 그린 그림들에 다시 눈을 돌리리라
또한 가게마다 흘러나오는 노래 대신
방랑하는 시인들이 노래하는 목소리로
거리거리를 춤추고 흥겹게 하라
이제 눈을 감지 않아도
보이지 않는 것은 보이지 않고
눈앞의 당신에게 집중하게 되리라
그 순간 주위를 채우던 온갖 잡음 대신
정적과 두 사람이 내는 음파만이 전부가 되고
하얀 눈꽃이 피어 순간을 밝힐 것이다
하늘에서는 별과 달이 피어 우리들을 비추는데

어떤 종교의 어떤 표식도 빛나지 않아

죽은 생명들과 살아있는 생명들의 잠을 방해하지

않고

오직 사랑만이 조용하게 웃으며 꿈을 불러주리라

탄알집 결합

총과 탄알집이 만날 때 숨기지 못하는 소리는
마지막 양심의 탄식이다
어머니의 작별 인사다 뒤돌아보지 못하고 이어지는
아버지의 시건된 창고 속
군화발로 마구 차이고 아침부터 귀싸대기 맞던 아
픔이다
낳으실 때 멀쩡한 배 가르던 고통과
강원도 양구 십이월에 쌓인 눈 치울 때 혹한을 합친
것보다
처음 교무실 불려가셨을 때보다 몇 천 배 더
담배를 빨았을 때 폐의 괴로움보다
장례식에 처음 간 날보다 더 울음이 간절한
자식이 총을 쏘러 가는 날이다
찰칵이며 탄알 한 발 장전되는 소리는
한 발 이성이 장전되는 소리다

훈련소 앞 소매로 눈물 훔치는 소리다
할아버지 붓을 꺾는 소리다
천둥처럼 화약이 폭발하는 소리는
공이가 총알을 치듯 광기가 인간을 치는 소리다
상처를 주겠다는 소리다 무서운 결심으로
온갖 신이 인간을 외면한다는 뜻이다
그러니 기도하지 말아라 대신
탄피 떨어진 거 꼭 찾아라 회수해라
네가 총을 쏘면 손도 마음도 뜨거워지는 인간임을
떠나간 총알을 잊지 말자고
그렇게 미친 듯이 탄피를 찾는 것이다
떨어진 가족을 떨어진 이성을 찾는 것이다
탄알들은 집을 떠나면 알맹이는 영영 상처를 만들고
껍질만 돌아오지만 너는 그러지 말아라
부디 집으로 떠날 때와 같이 돌아오거라

나방의 춤

똑같이 땅을 기던 애벌레에서
누구는 나비가 누구는 나방이 되었다
사랑받음의 유전자가 누락된 생명
꽃의 부름을 받지도 못한다
거미줄에 나비가 걸리면
사람들은 거미줄을 뜯고 거미를 죽이나
거미줄에 걸린 나방이 애타게 살려달라 날개짓하면
사람들은 잔인하게도 통쾌해한다
나방은 날개에도 눈이 있어
이렇게나 솔직한 세상을 지켜보며 날아다녔다
나비처럼 살랑거리지는 못했지만
자신을 향한 온갖 편견을 떨쳐내려
나방은 누구보다 강하게 날개를 퍼덕였다

나비는 잠든 밤 나방은 진실을 쫓아 빛 곁으로 왔다

나비뿐만 아니라 어떤 생명도 꺼리는 진실의 빛으로
나방은 망설이지 않고 세차게 날아들었고
곧 뜨거운 죽음을 맞이했다
자비는 잠들어 아무것도 몰랐으며
사람들은 그저 두려워하며 나방을 지켜볼 뿐인데
서로 인연이 없는 나방들이 죽은 나방을 따라
빛으로 빛으로 향했다

두 개의 심장을 품었던 사람

유일한,
어둠 속 맥박의 근원인,

어머니

사랑이라는 단어로 윤회하여

기록으로 남기를 거부했던 기억들이 이제는
소실점 너머에서 무덤을 쌓은 뒤 돌아온다

전생前生에 너는 나의 가장 큰 적敵으로
前生의 全生을 공들여 언어를 가르쳤다 나에게

한겨울 가득 쌓인 눈 아래 차갑게
시들 줄 아는 희망의 활엽수와
절대로 마르지 않는 파도가 되어 퍼붓는
그리움이란 계절을 가르치고

알았겠지 결코 그 단어들의 방을 가득히 채울 만큼
느낄 수도 느낌을 적어낼 수도 없음을

빈자리만 늘어나는 기억의 관람석 사이사이에 죽은

단어들을 참을 수가 없어 울었지

네가 나를 사랑할 때 내가 너를 사랑하지 않은
대가로
넌 이번 생에 사랑이란 단어로 윤회했다

평생을 혀 위에서 숨통을 조여오며 괴롭히겠지
어쩔 때는 혜성의 꼬리처럼 타버리는 음성을
난 쫓기만 할 뿐이겠지 삼키기만 할 뿐이겠지 네
이름을

이번 생의 십이월까지 부를 때마다 기록되지 않은
기억에 빚진 대가를 치르는 것이다 이 죗값은
지난 시간 불일치한 사랑의 구심력이리라

커피를 내리는 동안

그대가 싼 원두를 짜는 동안
난 싸구려 노랫말로 당신 덮어줄 담요를 짰지
지구는 돌고 그대의 손도 돌아
어지러울 땐 내게 기대줘 비록
아직 터지지 않은 허위의 거품들이 많아도
날 휘휘 저어줘 아니 벌써 섞여버렸어
네 눈물과 내 술잔은
미안해 머그잔처럼 두꺼운 경계 속 날뛰는 두려움이
그래도 투명하잖아 얼음같이 빨간 욕망은
당신이 희석시켜줘 그래서 넘쳐버렸어
절제 안 되는 눈물과 술, 커피와 타액이 섞인 밤
주문한 술의 종류만 다르게 흐르는 밤을 몽롱히
아기처럼 닦지 못했어 그냥 그래

그냥 그대 스팀이 쏟아져 내리는 젊음에 중독돼버린

우린

　삶에 들지 못하고도 아픈 꿈에 들어와버렸어

강원도 3-아우라지

평창에서 발원해 흐르는 송천과 태백에서 내려오
는 골지천이
정선에서 직각으로 만나 더 큰 물줄기가 된다

물이 어우러지자 강을 끼고 건너에 살던 임은 멀
어졌다
뱃사공아 날 좀 태워주게 부탁해도
불어난 물을 사랑에 빠진 자가 아닌 이상
누가 감히 건너려 할 것인가
물은 자꾸만 내려와 사랑을 나누는데
해발고도 가장 낮은 곳의 사람은 손만 뻗어보네
돌다리 물에 잠겨 제구실 못하고
울음 소리 듣다 잠들지 못한 초승달이
골짜기 내려와 저편의 임 눈물을 이어준다
볼 수는 있어도 닿지 않는 당신과

깨끗하게 부서지는 물소리가 묻는 애절함이
산 아래 어우러져 무참히
아름다운 아우라지

철새도래지

이것은 마음의 외성을 나가서
진실의 내성으로 돌아오는 기록
우리에게는 두 겹의 위선이 있는데
하나는 부인하는 태도이며
다른 하나는 선하고자 하는 생각이다
그 사이에는 욕망이 된 소망들이 축축한 이끼를 자
라게 하고
웃자란 감정들이 고개 들지 못하고
연옥을 배회한다
흔하디 흔한 불확신의 들판을 힘겹게
힘겹게 박차오르고 악마는 노래를 들려주었으며
세세한 서러움의 장부를 기록케 했다
가슴의 운동이리
가슴이 울컥이며 떠나는 운동이리
행성의 움직임을 거꾸로 돌아가는

우주의 순리를 거스르는 행위다
그 행로의 가운데 가지 가지 마다 내 입으로
갈라진 부리로 피 흘리며 너를 새기고
이정표 삼아 다음 해에도 너로 돌아갈 수 있게
노력했다 울었다
마침내 라는 말은 아직 허락되지 않았고
그래서 노랫말을 가다듬는다 한 세레나데의
메아리처럼 돌아와서 거짓 마음 다 불태우고
잔인한 망설임을 흙으로 묻은 다음
돌아왔노라 조용한 목소리로 말하리
한 번의 떠남은 다음 해의 만남을 마련해 놓고
우리 지금 이별하지만
지금이 아닌 수많은 순간들에
재회의 손가락을 걸어놓자
지키리라 한 권 책의 모든 맞춤법처럼

어떤 약속보다 소중한 너와의 맺음을
네 너른 들판으로
떠날 때마다 돌아와 작은 발을 살며시 부딪히며
용서를 구하고 다시 지저귀리라
구애하리라

빨간 등대에서 보내는 편지

가장 뜨거운 여름에도 바닷가에선 세차게 바람이
불고
빛바랜 리본들은 떨리는 눈썹처럼 휘날리는데
등대 너머에서 여전히 들려오는 말 없이
우린 지금 어디 있니 몇 번의 계절이 지나고
좋은 세상 만들겠습니다
라고 적힌 깃발 무기력하게 펄럭이는데 일 년이 가고
이 년이 가고 좋은 세상은 누가 만들고 있니
새는 바다를 건너 육지로 오는데
순수하던 너희는 반대 방향 멀리로 가서
하얀 날개 달고 보이지 않는 비행을 하는 중일 테지
시간이 지나 비가 오고 눈이 오고 바람 불면
보이지 않는 걸 알면서도 그 비행은 안전할까
사무치게 걱정이 되어 잠 못 이룬다

부디 훨훨 날아오르면서 서로의 손 놓지 마렴

여기 남은 우리가 각자의 새끼손가락을 거는 대신

묶어놓은 리본을 보고 누군가는 잊지 않을 거야

너희가 아름다웠다는 걸

말들에 더럽혀지는 시간 속에서도 사랑은 끝나지
않고

깨끗한 마음으로 기도할게

뭐가 바뀐 건지 더 나은 세상이 된 건지

자신 있게 말해 줄 수 없어 너무 아프지만

팽목항 빨간 등대에서 보내는 빛을 한 번씩 돌아봐
주겠니

천사의 날개도 쉬고 싶을 때가 있다면 가끔씩 내려
와주겠니

너희 웃음만큼 제일로 순수한 불꽃 꺼트리지 않
을게

우리가 함께했던 그 사랑 잊지 않을게

섬의 현상학

사람을 헤치고 육지 끝 항구로 와서 이제는 배들과 파도 다른 섬들을 헤치고 목적지인 섬으로 항해한다. 이 과정에서 섬의 현상학이 펼쳐진다. 배를 타기로 결심한 이가 섬을 단 하나의 목적으로 정할 때 육지와 바다 양쪽의 위 아래에 존재하는 모든 것을 무화無化시킨다. 배를 탄 사람의 현상학적 태도는 후설의 판단 중지보다도 강력한 판단 거부의 태도라 명명할 수 있다. 이타카로 향하는 오디세우스의 결심은 신도 막을 수 없었다. 폭풍우, 세이렌, 칼립소, 신의 저주를 헤치고 섬으로 간다. 이때 절대적 단일자가 있다면 그 단일자는 섬에 있다. 아니 섬 자체가 된다. 오디세우스에게 이타카는 자신이 찾아가는 섬이자 그 자신이다. 뚜렷한 지향성은 자아와 타자 사이 길이 될 세계를 연다. 나는 여기서 한 번 더 메타–철학적 태도를 취하여 섬의 현상학을 사랑의 현상학과 동일하게 보고자 한다. 사랑하는 대상을 지향할 때 다른 모든 것이 흑화되는 상태는 우리가 섬에 도달할 때까지 겪는 경험과 같은 것이기 때문이다. 이타카는 곧 페넬로페다. 사랑을 찾아가길 결심한 사람에게 결항은 존재하지 않는다. 무조건적인 출항만이 기다린다. 그 사람은 그러므로 누가 인정해주지 않아도 스스로 선장이 된다. 이 사람은 사랑하는 대상과 단일자가 되는데 방해로 작용하는 세상을 거부하며 지워나가지만, 동시에 세계를 완전히 버리지는 않고 오로지 사랑에 도달할 길이 되도록 직조한다. 세상을 무화無化시키면서 오롯이 대상을 향하는 길로서 세계의 의미를 유지시키는 것, 이것이 강력한 사랑의 현상학이며 이는 섬의 현상학의 다른 이름이다.

숙박인명부 - 입술들

내 몸을 감싸고 있는 혈관에는 겨울이면 찾아와
장기투숙을 하는 어떤 입술들이 있어
언 몸을 녹여주고 발걸음을 계속하게 속삭이지

입술이 은밀히 불어주는 바람에 흥분한 혈관은
그녀가 대여한 방의 보일러를 세게 틀어
창의 그물코 사이로 들어온 눈을 녹여주기도 하지

영혼이 거식증에 걸려 천천히 말라갈 때면
케루악이나 니체가 자꾸만 귓가에서 떠나라고 속삭였네

그 입술의 주문에 홀려 정거장에서 정거장으로
다리에서 땅으로 땅에서 바다로 쏘다니면
같이 사랑을 연기하다 먼저 죽어버린 사람을 잃는
상사병이 조금씩 낫고는 했지

입술의 주인은 남해군으로 가는 시외버스에서는 기형
도였다가

고드름이 다 녹는 계절이 오자 누자베스의 입술로
변했지

그렇게 얼었던 몸이 조금씩 온기를 되찾으면

여관방을 댄스홀로 꾸미고 입술의 주인들과

춤추며 건배를 나눴지 모두의 입술에 경배를

지금까지 날 버리겠다 말을 꺼낸 입술들까지도

진 세버그가 연기한 패트리샤*처럼 결국

날 사랑하지 않아도 좋아 내게 더 역겨운 건

떠나지 않고 남아서 누군가를 추억하는 일이지

이만큼 오면서 많은 입술들을 훔쳤지

*장 뤽 고다르 감독의 영화 〈네 멋대로 해라〉의 주인공.

나 역시 많은 입술들을 빼앗겼고

손님들은 우리의 관계 따위는 신경 쓰지 않으며

다음 해에 오기도 오지 않기도 할 것이네

그건 그들의 마음이지 라고 말하며 내심 그들을 기
다리네

루틴, 혁명을 위한 금요일의 디오니소스적 회합

1.

혁명에 서툴렀던 우리는 새해를 맞아 딘 모리아티와 코니*를 새 동지로 받아들이고 금요일 밤마다 혁명을 위한 집단인 시울의 모임을 가지기로 결정했다 이 비밀 결사의 증인으로 노란 원피스를 입은 프리지아와 서울시 동대문구 이문동에 위치한 한국외대 캠퍼스 본관 옆의 라일락 한 그루, 그치지 않는 4월의 비 그리고 마지막 음유시인을 자청하는 직박구리를 채택한다 그들이 향기를 모아 증언하길 신입의 눈시울을 지긋이 문질러 주는 것이 이 혁명가 집단에 가입하기 위한 마지막 절차였다고 한다 담배 연기가 퍼진다 아듀 로맨스**, 안녕 두려움***, 술잔 속에서부터 혁명이 넘치기 시작했다 건배

*딘 모리아티와 코니는 각각 케루악의 소설 『길 위에서』, 로렌스의 소설 『채털리 부인의 연인』의 주인공이다.
**비 오는 봄 날의 삼청동을 걸었다. 비를 피하기 위해 찾은 처마 건너편으로 불 꺼진 옷가게의 이름이 보였다. 그 이름을 빌려 쓴다.
***영화 〈본 투 비 블루〉에서 쳇 베이키 역의 에난 호크가 마약을 하기 전 하는 대사.

2.

기독교 신자, 범신론자, 무신론자가 트럭에서 순대
한 접시를 앞에 두고 라디오를 들었다 유재하가 환
생한 가운데 범신론자는 김수영을 읽으면서 동지들
의 사기를 높이려 했다 소주를 병째로 마시는 범신
론자와 무신론자에게 기독교 신자는 80년대의 웃음
을 지었다 실제로 그녀의 나이가 제일 많기도 했다
그녀는 빛바랜 몇몇 혁명을 이미 지나왔을 터였다
이번에는 꼭 성공하자고 다짐했다 하지만 계절도 변
절하는데 우리라고 다를까 야 겁먹지마 금요일이 돌
아오듯 혁명가도 돌아오게 돼 있어

3.

원룸 옥상에서 책을 태워 불을 지폈다 돼지고기는
겉이 쉽게 탔고 감자는 적당히 익었다 파프리카를 잘
라서 생으로 씹으며 우리는 브리티쉬 진을 마셨다 어
둠이 우리에게 먼저 내려오고 우리를 적신 어둠은 다
시 칠층 육층 삼층 일층 지하주차장 더 깊은 도시의
관으로 순식간에 흘러넘쳤다 우리는 꽤 취했으므로
지상은 저녁과 인간, 취기, 담배 연기가 섞여 희석된
칵테일을 마실 수 있었을 것이다 지핀 불이 꺼지자
우리는 육체를 옥상 바닥에 눕힌 채로 채워 놓았다
그 위로 검은 하늘이 디오니소스의 짙은 밤바람을 부
었다 이문동이 온더락으로 초여름을 마셨다 젖은 입
술은 즉흥곡을 연주했다 콜린과 엔젤****, 톰 웨이츠,
안치환, 양희은, 제이지가 코러스를 불렀다

****뮤지컬 렌트의 등장인물들. 뮤지컬 넘버 〈I'll cover you〉는 그들의
듀엣곡이다.

4.

막걸리에 소주를 섞어 마셨다 술을 마시다가 우리
는 가게 밖 세상으로 잠입했다 세 명이 쪼그려 앉아
보햄 한 개피를 나눠 피웠다 선풍기 바람보다 시원
한 맨솔의 향 봉화를 피우듯 조심스레 담배 연기를
올리며 같이 혁명을 일으킬 전사를 찾아 고개를 두
리번거렸다 달빛이 휘적휘적 걸어가고 있었다 이 골
목은 우리 구역이지 당신은 상처를 줄 수 있는가 그
는 하늘에서 자신의 어머니가 그러하듯 어쩔 땐 그
렇고 어쩔 땐 그럴 수 없다고 했다 우리는 누군가의
위성으로 영원히 살 수는 없어 당신은 순응자군 허
리의 칼을 넘겨라 대신 살려서 보내주지 다음에 이
골목에서 다시 만나면 당신은 발을 내놓아야 할 거
야 우리는 뺏은 칼로 담배를 공평히 잘라서 나누어
필 수 있었으므로 만족했다 하늘로 칼을 휘두르니
핏방울 같은 별이 뚝뚝 떨어졌다 혁명의 전모였다

우리는 다시 가게로 들어가 술을 마시다가 잠이 들
었다

5.

시를 써서 부자가 되리라 결심했다 그게 가능한가
친구들은 웃었고 난 소주를 더 마셨다 적어도 너희
들이 같이 취한다면 가능하지 맥주에 소주를 말았
다 짜라투스트라를 자주 초대했기 때문에 그 집 벽
엔 혀로 자른 신들의 머리가 차례로 걸려있었는데
나를 부자로 만들어준다면 거기다가 합장을 할 수
도 있었다 부자가 된다면 번 돈을 다음 영화에 몽땅
투자할 거야 시나리오는 다 썼니? 그게 가능하냐
난 친구가 했던 말을 그대로 반복하며 막 배를 가르
고 세상으로 나온 광어의 불투명한 살점을 씹었다
나를 버린 그대가 내 시를 읽는다면 내 살이 그렇게
씹히는 느낌일 거야 대신 배를 가르고 나온 시를 팔
아 난 부자가 되겠지 피 같은 초장 냄새가 퍼졌다

6.

우리는 혀에게 지배당하고 있어 이름을 부를 때, 밥을 먹을 때, 애무를 할 때, 키스를 할 때 혀가 다 알아서 하잖아 우리가 도대체 스스로 할 수 있는 게 뭐야 혁명은 이렇게 시작되었다 그러니까 이 혁명가들을 애무하는 기분을 좀 더 느끼고 싶은 변태라 봐도 무방하다 이들이 원하는 것은 혁명이지 구원이 아니다 혁명을 생각할수록 섹스를 하고 싶어진다는 68혁명의 구호가 떠오르는 금요일 밤 언어가 버린 고아들이 비밀스런 모임을 가진다 종류에 상관없이 커피나 술 한 병 혹은 담배 한 갑을 가져올 수 있다면 이 시울이란 회합에 참여해 보기를 권한다 우리는 당신의 눈시울을 시추하기를 고대하고 있다

급진 사랑주의자 동맹

사랑의 의회에 들어온 우파를 결혼주의자
좌파를 섹스주의자라고 부르자
우리는 양 진영에서 거부당한 아나키스트
급진 사랑주의자 동맹이야 결혼도 섹스도
우리의 사랑을 증명할 수 없어 오로지
서로의 눈시울을 만지는 것만이 동지들을 구별하
는 방법이지
절대 소수를 차지하는 우리의 사랑은
너희가 설득시키지도 우리가 너희를 설득하지도
못해
모든 사랑의 언어는 연인만 아는 방언이니까
다만 윤동주는 우리 급진 사랑주의자들과
연맹을 맺을 수 있을 거야
그의 사랑의 전당에서도 모두가 벙어리니까*
우리가 밝힐 수 있는 성문법은 단 한 줄

*윤동주 '사랑의 전당', 우리들의 사랑은 한낱 벙어리였다

사랑은 성문법이 아니다

이 단 하나의 법을 지킬 뿐

통합이나 해방 따위는 관심 없지

때론 너희와 함께할 수도 있지만 우리의 눈시울을
내줄 순 없어

물론 우리도 너희의 눈시울을 함부로 만지지 않을게

그러니 우리의 급진성을 너희 민주주의가 말하는

평등과 관용으로 이해해 주길 바래

우리도 너희의 섹스와 결혼을 이해할 테니까

혹시 누군가 위험을 무릅쓰고 이적행위를 하고
싶다면

일단 우리의 비밀 회합으로 초대할게

준비할 건 하나도 없어 단지

내가 말없이 너의 눈 밑을 살며시 만지면

너도 내 눈 밑을 지긋이 만져주면 돼

2부
세상의 끝을 조각하다

거문도 파도에 소주를 뿌리다

손님 한 명 없는 거문도 카페 베라코트에 앉아 혼자 카페모카를 마시네. 아무래도 심하게 단 것이 바닷가 음식의 간을 닮았네. 뭐 아무럼 어떤가. 달고 짠 것을 입에 달고 살다가 화병에 뜨겁게 죽는 이 파다한 세상인데 세상의 끝에 와서까지 걱정하며 살고 싶지 않네. 바닷바람이 천둥처럼 쳐도 어부들은 어제처럼 오늘도 그물을 올리네. 나는 그 바다에 시간을 흘리네. 바닷물 빠질 때 내가 녹여 보낸 시간들이 육지에 닿아 벗들이 건져서 읽어보길 바라네. 이것이 내 편지네

멀리서 날 부르는 삶을 찾아 배를 타고 이 섬까지 왔네. 허나 열정과 의지를 가득히 건져 올리려는 만선의 꿈은 외해의 높은 파도에 부서졌네. 삶은 이곳에 와보니 더 멀리 있어 보였네. 속았구나, 마침 이섬에 사는 백발의 작가를 찾아뵙고 싶었네. 그는 만

선의 꿈을 이뤘는지 궁금했으니까. 소주 한 병, 주스 한 병, 포도 한 송이를 사 들고 반대편 해변의 외딴 집까지 무작정 걸었네. 선생님 계십니까. 내 목소리 듣는 이 그 집 마당의 백구밖에 없었네. 하얀 페인트 칠 벗겨진 꼴이 폐가나 다름없어 보였네. 제기랄 모기는 막 덤비고 난 사 온 술이 아까웠네. 선생님 삶은 어딨습니까. 세상의 끝에서 그녀가 날 부른다 생각하고 왔는데 속았습니다. 촘촘한 동백나무의 어둔 그늘을 뚫고 섬 끝자락 등대에 가니 그녀는 더 멀리로 달아나 있더군요. 내가 가진 불은 작은 성냥불밖에 안되어 성냥불 등대로 그녀를 애타게 불렀습니다. 성냥불은 약하기만 하고 그녀는 오지 않더군요. 제기랄 배를 타고 차를 타고 한없이 걸으며 저는 또 지겹게도 삶을 따라잡으려 떠돌아야 하는가 봅니다. 선생님께서도 그렇게 떠돌고 계시온지요. 그래서 부재중인지요

72

난 세상의 모든 부재중인 여행자에게 동질감을 느꼈네. 선생과 그들과 술 한 잔 하고 싶었지만 우리는 모두 홀몸으로 떠돌고 있었네. 나는 사 온 소주 한 병을 통째로 바다에 뿌렸네. 취한 파도야 이 세상의 끝에서 다른 세상의 끝까지 흘러가거라. 가면서 나처럼 떠도는 이들에게 튀어 올라 그들이 계속 취해 멈추지 못하게 하거라. 그들을 길에서 만나면 이 술값은 꼭 갚으라 전하거라

이렇게 말하고 난 엎드려 바닷물을 한 모금 마셨네. 짠맛이 가득한 입 안으로 혀가 요동쳤네. 나는 그렇게 흔들리는 혀와 바람과 배를 타고 다시 떠나네. 이번엔 내가 못 견뎌 술을 샀으니 다음엔 꼭 빚진 술을 얻어 마셔야 하니까

구름을 통과한 검은 새의 벼락

반팔 반바지에 흰 운동화를 신고 걸었다

낮은 구름과 높은 구름
다른 습도의 공간에서 움직이면서
날개가 젖어 무거운 몸을 이끌고 하강비행 한다

날개짓의 동력원을 찾을 때
그것은 지상에 위치하지 않는다

공중에서 지상으로 치닫거나
지상에서 공중으로 치솟는 순간의 힘

검은 새는 구름들을 통과하면서 흰 새가 되고
싶었다
검은 새는 원래 흰 새였던 자신이

구름들을 전부 뚫고 태양으로 올라가 검게 탔다고
믿었다

　새가 추락하는 힘은 구름보다 위의 공간이
　운명적 비행을 시작하기에 적당한
　절반은 비가시의 영역(지상의 시점)
　절반은 가시의 영역(태양의 시점)
　임을 인지하는 데서 온다
　이 경계를 만드는 것은 구름이다 그리고

　가시의 영역에서 비가시의 영역으로 떨어지는 순간
　중력은 관성을 생성하고 날개는 힘을 얻는다

　신이 추를 만들면 인간은 추를 흔든다

구름 속에 있는 것은 구름이라 불리지 않는 수증
기 덩어리
날개가 무정형의 의문을 통과한다
높은 구름은 낮은 구름보다 천천히 움직이지만
제각기 다른 밀도의 구름들은 모두 한 번씩 새를
품었다

가속도가 붙은 비행으로 인해
물었다가도 놓쳐버린 구름 조각들이 사라질 때
마지막까지 놓지 않은 의문의 시체를 부리에 문
채로
희게 변하지 않은 검은 새가
축축하게 젖은 날개로 땅에 부딪혀 죽었다

의미심장한 의미의 심장

사랑이란 지시할 수 없는 빈 시공간을 발음하는 일
그곳에 기록되는 커다란 꽃의 계보
수국 한 덩이가 조용하다

타각, 손톱 깨무는 소리
꽃병에 금이 간다 침묵하던 벽이 별안간
견고함을 버린다 흥분, 혹은 뜨거운 피가 성기 안
의 골목으로 돌진하는 것

발아 즉 발화

말로 표현할 수 없는 비밀을 알고자 한 이
먼저 조각난 언어를 찾아 퍼즐을 맞춰야 한다

의미의 대동맥에 흐르는 무의미의 세포
美的감각이란 그 심장에서 판막의 역할을 하는

시인이다
　아름다움이 허락한 피 냄새가 금이 간 심장 밖으로
진동하고
　날개가 여러 쌍인 새들이 날아와 갈증을 해소하지
　천사일지도 모를 그들이 물고 간 씨앗이 자라
　몸 밖에서 붉은 꽃들을 여기저기 피우고
　그 덩굴에 파묻힐 우리는 짙은 향기에 익사할 운
명이야

　좌심실 우심방에 이런 얘기가 기록되어 있대
　세상의 모든 꽃의 어머니는 얼음꽃이다
　얼음꽃이 녹아 사라진 자리 다른 이름의 꽃들이
피었다
　너희가 그러할 것이다

　피로서 죽은 자, 피로서 부활하리

해독解讀

목련은 白化된 봄, 능소화는 赤化된 여름
딘 모리아티가 새들을 거치지 않고 승화하여 바
람이 된다

노을은 오늘 하루 증발한 영혼들의 열기
비는 그들이 지상에 남긴 몸을 식히기 위해 짜내
는 숨

달은 반대편 우주가 열어주는 문이자 상처이며
별은 그 우주가 뿌린 핏방울이다

땅끝에서 하늘과 바다는 데칼코마니
우리가 기억하는 파도는 액체 상태의 8월

시간은 시계 안에서는 절대로 해독할 수 없음
시계는 인간이 만든 시간의 감옥

달력이란 판옵티콘에 현대인은 거주 중임

시에 관계하는 것은 탈은폐를 위한 시도이며
마지막 외*존재를 통해 건너는 알레테이아

순례자의 길에서 자신의 심장과 타자의 심장을
순례할 것

그리하여 넌 실체 상태의 에로스다 뮤즈다
즉 고체화된 음악이다
너는 스스로를 언제나 변주할 운명이며
난 그 음을 기록으로 남기려 악보에 일기로 쓰기로
한다

더운 피는 액체 상태의 증명

노래는 고체도 기체도 액체도 아니면서 존재하는
생명이다
허구다 그런데 실재하는 허구다
허구가 실체화 될 때 난 혁명이라 부른다

이곳은 팽창하며 굴절하는 우주

들국화의 꽃말은 순수, 눈이 쌓이는 소리는 투명
하다
환상 속 소박한 마을 위로 별이 눈처럼 내리고
마을이 빛나고 사람이 사랑을 한다

침묵은 읽는 것이 아니라 그대로 보는 것임을 안다

악장, 신세계

흥부를 열듯 하늘을 열고 기록을 열면
가슴을 끓어 넘치는 별별 색깔의 감정
감정적으로 감정할 수 밖에 없는 별, 별, 너,
별자리

별들의 거리만큼 우리의 거리만큼
더 많은 해방이 필요합니다
해방 없이는
별자리가 되지 못한 별처럼 외로울 테니까
아니면 부서진 행성들처럼 끌어당길 테니까
가루가 된 젊음들이 별과 별 사이로 흩어지면
찬탄과 한탄 한탄, 찬탄 찬란

하지만 이 노래는 리메이크도 아니야
프리스타일 랩에 가깝지 pure freestyle

anti-thesis말고 syntax도 말고
더도 말고 덜도 말고 그 말끝의 故도 말고 go

아마도 나는 갈 것이기 때문에
아마도 나는 갈 것이기 때문에
아침 속 오늘의 우리로 태어나면
당신의 미간에 키스하고 싶어요 입맞춰
순간 하나를 품으면
내 언어의 자궁인 당신을 위해서
오래 전 선물 받은 손목시계를 풀 거예요

추억을 기록하는 방식은 서로가 달라서
이제 혜화동 어디에도 내 집은 없어
훈련소 문 앞 남자처럼 발만 동동
구르다 뛰다 마침내 걸어서 자유

훔쳤던 감정들과 말
강요받았던 이성과 침묵 버리고
창살을 벗어난 죄수는 이미 죄수가 아니니까
광야의 도시로 미래로 왔습니다
하늘을 열고 기억을 열고

이어서 말하고
이어서 여기로 우리는 발끝을 맞대요
학교에서 카페에서
책상 아래 더 중요한 마음을 숨겨왔고
몇 번이나 망설였는지 알기에
집 없는 동거의 꿈을 고백하려 하죠

존 레논처럼 부르는 노래
그래 이 노래는 내가 부르는 네 노래인 걸

잠시의 공백을 견뎌내고 언젠가는 사랑해야

좁아지는 골목길과 높아지는 건물을 지날 수 있

습니다

바다로 떨어진 별은 해녀를 비추고

깜박이는 가로등은 멈춘 그림자를 그리는데

물 밑에서 캐고 쓰레기 더미 속 깜박이는

이름, 별, 당신, 제길, 꿈, 꿈, 옳, 내일

장벽이 무너지고 철책이 사라져도

전부가 다 詩인 세상에서도 싸움은

그리고 우리는 존재할 테니까

존재해야 할 테니까

난 차라리 자유롭게 노래하렵니다

음표와 음표 사이 계곡에 이 노랫말이 흐르면

겨울 바람 쌩쌩 부는 광화문 광장을 지나
불 켜진 공연장들로 찾아오세요 여러분
지금 막 돌아온 로망
그리고 그리고로 시작할 이야기
새로운 하늘을 열고
우주의 심장인 박동하는 별을 꺼내
당신께 움켜쥐게 하고파요

같이 시력을 잃는 피날레에서 시작하는 눈부신
프롤로그

함께 별똥별처럼 춤춥시다

극의 탄생 - 작곡가의 기록

전해지지 않는 노래라고 했다. 그러나 노래는 전해지지 않으려 했으나 몰래 전해진 것들만 노래한다. 결국 귀머거리가 돼서 완성한 노래는 그 삶의 이름이 되었다. 반음이 없는 미와 파 사이가 되고 싶었지만 우리의 연애는 언제나 반음이 있었다. 애매모호한 음계들을 흘리는 언어였다. 그래서 작곡가는 청각을 지워버렸다. 변주 속에 숨진 대화들의 무덤이 있는 건 이번 작품이야말로 론도형식이기 때문이다. 반복되는 음계 속 다른 노랫말이 무슨 소용일까 싶었다. 허나 노래로 불리지 못하는 독백만큼 아쉬운 순간은 없었기에 거짓일지도 모를 가사를 써 붙인다. 그리고 그렇게 쌓인 거짓의 화음은 어느새 마디를 완성하고 흐름을 지배한다. 누구나 외우는 노래 하나쯤은 있다. 이렇듯 연주자는 작곡가가 되는 것이다. 귀머거리 작곡가는 금지된 이름들 사이에 다만 자신의 이름을 넣어 곡을 쓰기 시작한다.

밤바다의 탱고 모린*

광대들이 태백산맥을 넘어 강릉까지 왔다
우리는 지금 초록과 파랑만 볼 수 있는 색맹들
리뉴얼 청록파의 시를 읊으러
안목 해변으로 갔다 커피를 마시고
수영을 한 뒤 모래에 묻혀 밤을 기다렸다
불온한 집회는 언제나 밤이 배경이니까
거기에 바다라면 마력의 위력은 배가 된다
구경꾼들은 다가와서 폭죽을 터뜨리며 춤을 재촉했다
그렇게 별과 맥주 방울이 떨어지자
어둠의 수평선 건너에서부터 하얀
파도의 포말로 춤추려는 욕망은 밀려왔다
김현식과 유재하의 노래로 막이 오르고
세상의 모든 야외에서 자유롭게 춤추고 싶어
네게 탱고를 신청하던 내 손바닥을 잊지 않아

*뮤지컬 〈렌트〉의 넘버 '탱고 모린'

포켓용 스카치 블루를 홀짝이며 유혹을 부활시키
는 밤바다

파도에 던진 빈 술병이 육지에 도달할 때까지

해안풍에 홀려 멈출 수 없는 탱고를 춘다

고백하지 못한 밤

하늘은 어둡고 땅은 차다
벼랑은 가깝고 언덕은 높다
힘겹게 힘겹게 시간을 건너면
땅은 따뜻하고 우린 누울 수 있을까
여기서 떨어지지 않으면
계속 사랑할 수 있을까

언젠가 같이 누워서 두 개의 배 위로

하늘이 밝고 새가 날고 무덤을 지을 수 있을까

강원도 2

산 속에 또 산이 있고
어떤 산 속에는 물이 흐르기도 한다
길 역시 오래된 소나무처럼 굽이쳐 자랐다
소나무도 길도 사람도 바람을 맞으며 휘어진다
흰 새와 안개를 품은 호수를
품은 강원도 더 안으로
스스로를 유폐시키러 가는 길

산 속의 산, 언덕 너머의 언덕
고독 속의 고독 끝없는

첩첩 산중

코끼리 무덤 5

누군가는 국경을 넘어야 했다
누군가는 늙은 산맥을 올라야 했다
사막을 건너고 배를 타
신기루를 헤치고 상대성 이론처럼
전생이나 내생의 소리에 홀려야 했다

어머니가 몰래 본 점이
결국 맞다는 걸 인정하기 시작했다
보물은 사라지는 척
선명해지는 어린 말들이었다

아마 흙에서 났으리라
아마 땀을 마신 흙에서 났으리라
그러나 치기 어린 발은 자꾸만 사구를 넘어
너머로 건너로 향했다

찾으면 찾을수록 어떻게 써야 할지 모르는
그래서 은폐된 듯한 보물이었다

이 땅에서 자란 것만이 아니라고
하늘로 바람으로 부정하고 있었다
차라리 공중에서만 사는 생물로 태어났음 좋을
터였다
어머니의 걱정이 나이처럼 들어맞았다

다시 걸어야 했다
국경을 다시 넘고 산맥을 다시 오르고
돌아가는 길이 아니었으므로
둘러서 가야 했다

저편으로 와서는 말을 바꾸어 탔다

탈은폐되는 주위 속에서
추위를 버틸 보물을 심장에 묻었다

그렇게 밀수입자가 되어 심장에 숨긴 말들을 불
지펴
온도를 높이고 체온이 된 말들로
무덤이 될지도 모를 곳을 감싸 안기 위해
돌아가지 않고 나아가는 길이었다

수의를 입고 수음을 하는 가수의 수기

노래를 부르기 위해서 더 많은 시간을
노래를 짓는 데 소모하는 불평등한 인생 속에
의미를 찾지는 못하고 의미를 만들어야 했다
모로 누워 살을 맞대는 벽의 차가움 곁으로
잊지 못해야 할 시체가 벌떡벌떡 일어나는데
광복의 만세 소리였다가 항쟁들의 함성이었다가
아버지 무덤 앞 곡소리였다가 어린 목소리였다가
했다
혁명은 이제 기술에만 있고 사람에겐 없어
잠자리보다 수음을 택한 밤이어라
젊어서 노래 부를 혁명이 없다는 건 말이어라
가장 솔직한 자백임에
주파수 안 맞는 온갖 소리들이 가르쳐 주기를
멀지 않은 시간이란 없다 시간의 선 위에서
되돌아오는 기억이란 왜곡되므로 당당하게
거짓은 아니나 실체가 불확실한 멜로디를 부를 수

있다

이 뿌리 없는 자신감으로

이름 찾아 거울과 세상 곳곳을 떠도는 여행자의

찬송가가 되어줄지어다 노동요가 되어줄지어다

빌어먹을 방송에서는 빌어먹는 사람의 이야기가

나오지 않으니

이 가사는 내가 사는 허구의 가출일 것이다

가장 밝은 빛 앞에서 가장 어두운 그림자가 생기므로

모든 종류의 신은 이 가수를 용서할 수 밖에 없을 것

죽은 영웅과 죽어가는 생명을 노래하는 건

슬프도록 부질없는 음악의 낭비지만 지금은

그렇게 씨근거려야 시간을 더 이상 토막 내지 않고

선으로 이을 아이들을 키워낼 수 있으므로

한숨 섞인 노래를 부르기 시작하면서

역사를 배반하고는 말겠다 멈추어라 말한다

골목 수집가의 방랑

계절에 맞는 꽃이 맺힐 새면
그이의 눈시울엔 지도가 저절로 떠올랐다

사람 사는 마을에서는 고요한 산 속이
산 속에서는 파도가 밀려오는 해안이
바닷가에서는 물 건너 섬이
섬에서는 다시 육지의 사람 사는 마을이 그리웠다

멈추지 못하고 밤낮으로 방랑하면서도
그는 두고 온 연인을 잊지 않았다

그이는 그녀와 세상의 모든 골목을 걷고 싶었다
해가 지날수록 그녀는 증발해가는데
그는 골목골목의 대문을 그녀가 열어 줄 것만 같아
문을 열어 여행을 마무리 지어 줄 순간을 기다리며
한없는 시간의 골목을 헤매는 것이었다

새벽의 도둑

불면증은 어느 밤 갑자기 찾아온다
과정이란 없다
그는 무단으로 침입한다
불합리하게 잠은 빼앗긴 쪽에서 찾아 나선다
문득 그렇게 된다

잠을 빼앗긴 자는 잠을 빼앗는 자가 된다

이것은 전염이 아닌 상속에 관한 이야기다

혜화동 2

이물감 문득 내가 느끼는 내 몸
골목에서 대로까지 지나치는 모든 사람들에게
참을 수 없이 소리를 토해버리고 싶다
누구도 고독을 연기할 수는 없다 이미 고독하므로
연기할 수 없는 것들만 진물 나게 찾는 곳
여기서 빠져나가는 사람은 종로로 을지로로
그림자를 더 이상 늘어뜨리지 않고 떠났다
무대의 림보에 빠진 어리석은 자들은 이 밤도
이깟 작은 동네의 골방에서 허우적댄다
이몹쓸 그립은 사람아, 이모네 같은 곳에서
꼭 밥을 먹으며 술을 마셨다 밥만 먹으면
표현하지 못한 장면과 함께 체해버릴 것 같았거든
술 취해 잠들면서도 연습하는 허상들
그렇게 어색한 표정을 지적하면서도
정작 자신의 이물감을 이방인 됨을 못 느끼고

오늘도 극을 여는 환상의 현실 앞
표팔이들이 끈질기게 손님을 부른다

우체통 철거 안내문

해당 우체통은 투입우편물의 지속적 감소로 인해
아래와 같이 우체통을 철거하고자 하오니
양해하여 주시기 바랍니다.

　-아래-

철거 예정일 : 2015년 12월 23일(수)
　인근 우체통 위치 : 인의빌딩 앞(혜화경찰서 방향
200M)
　문의 전화 : 3703-9111, 9115(집배실)

2015년 12월 16일

광화문우체국장

백수의 단칸방

어디로든 갈 수 있는 초역세권 통풍이
아주 잘 돼요 왜요 아침은 걸러요

방 안을 걸어요 오늘도 할 일 없으니까
새벽 다섯 시에 일어나 머리를 감는 누나는 아직도
머리가 아파요
바빠요 바빠요 직장을 포기했는데도
세상은 말들은 계속 달려와요 숨이 가빠요
문을 닫은 거랑 상관이 없나 봐요
누워서 눈을 감아도 숨이 가빠요
상을 줘봐요 죽지 않은 이들에게 동상
일하는 이들에게 은상 백수에게 금상
속상해하지 말아요
참 잘했어요 작은 앉은뱅이 책상을 시상대로 놓고
쥐어뜯은 머리카락을 묶어 메달로 줍니다
외투를 입고 이불을 덮어도 입김이 보여

추울 땐 벽지를 뜯어 불을 피워요 조금 더
안으로 부서지는 경계를 응시해요
시시해요 이렇게 사는 것은 이렇게 죽어가는 것은
그럴 땐 빨래하듯 축 처진 눈을 탁탁 털어서
다시 끼워놓아요 그리고 벽을 긁어요 벅벅 간지러운
다리와 다리 사이를 긁어요 옷 위를 굴러요
그만 좀 그만 좀 만져 누나가 퉁명스러워요
김치찌개를 끓일 줄 알아요 그거면
온 방 안이 훈훈한 냄새로 가득 차고 밥 먹자
밥은 잘 넘어가요 괜찮아요 벌러덩
뒤집힌 천장은 내 천장이 아니에요
나는 일을 하지 않으니까 내 것이 없어요 아무것도

어디로든 갈 수 있는 초역세권 통풍이
아주 잘 돼요 왜요 저녁은 먹을 거예요

버려진 고양이들의 모의

노래를 배우러 상경했다
이 도시는 거대한 마술피리
작은 몸은 비루해도
꿈만은 비옥해
꿈 많은 점박이 고양이가 울었다
(점 중 일부는 교통사고의 상처나 어제 새벽 뒤진
쓰레기이다)
고양이는 과거를 버리지 못한 골동품이라 여겼다
부모는 주인의 손을 물고도
집을 갈아치우는 법을 가르치고 죽었다

시골(명절쯤이면 평소 인구의 서너 배가 되는 곳)
에서는 모두 그녀가
더 큰 도시로 가기를 바랐다
그렇게 고향에게 버림받은 고양이는

우는 법을 제대로 배우지 못했다

도시에 도착한 뒤 깨달은 첫 번째 지혜
울음은 세련되게 식사는 혼자서 촌스럽게
낯선 것은 무조건 찬양했으므로
(사실 그녀는 입맛이란 걸 잊어버렸다)
버려진 것은 무조건 보호받았으므로

데뷔를 위해서 체중을 줄이고 하늘을 줄였다
그렇게 작은 하늘을 가진 고양이들이
하나둘씩 모여 한 구역을 채우기 시작했다
이곳 사람들은 주인인 척 행세하고
그들에게 '존중'을 가르치려 노력했다
(고양이들은 아직도 그 의미를 이해 못 한다)
이기적인 생각과 이타적인 행동을 함께 할 수 있는

유일한 생명체의 가르침은
고양이들을 고양이들로 남게 했다

그래도 여전히 생소한 인기는 남았다
누군가가 종종 죽었고
고양이는 애석해하는 인간들이 신기할 따름이었다

그래서 어느 날 한 구역의 고양이들이 회의했다
긴 하품 끝에 결정 난 그날부터
고양이들은 달을 길들이기로 했다
(예전 주인을 길들이는 것보다 쉬운 일이긴 했다)

도로 표지판이나 쓰레기통 위에서 고양이가 울면
달은 이곳의 근사한 조명이 되어주기로 했다
그리고 매일 밤 죽음을 앞둔 고양이 한 마리가

신호를 출발하는 차에 몸을 던졌다

(고양이도 아반떼 대신 벤츠를 노릴 정도의 지능이
있다)

그 순간 데뷔에 성공할 고양이가

근처 인도 위에서 노래하면 작전은 완성되었다

그렇게 고양이 눈 깜짝할 사이

도시는 계략에 넘어갔고

매일같이 고양이는 죽고

달은 뺑소니를 고발했으며

노래는 죽은 고양이의 피처럼 스며들었다

(이 계획의 극적인 완성은 무지한 인간이 그 장면에
맞춰 소리칠 때였다)

2015.09.30 수

취한 피로 쓴 단어들아
너에게 뒤늦은 흉터라도 그리고파
텅 빈 거리의 속도감으로 다가오는 죽음으로 얼
룩진 행성에서
잃어버린 그래서 잊어버린 우산과 같은 광기로
다시 입술을 오므려보는데 수
떨어지는 가닥가닥의 불빛이 눈을 통해 파고든다
흩어진 쓰레기더미와 하수구 창살 사이로 올라오
는 역한 냄새
공소시효를 잊은 발화의 향기가
무작위로 무심하게 여기저기 피어대고
잊어야 할 사람의 사진을 무심코 보다가 툭
찢어버리곤 한다 명징하지 못한 마음을
이것들은 언제나 무제인 시놉시스이며
아깝지 않은 척 미완성한 벼랑 끝 나무뿌리다

망할 건널목에서 차라리 너를 스치지 않았다면 좋
았을 걸

앞의 길들이 모두 잘못되어 버리니까 그리고

그 거리를 미친 듯이 헤치고 또 밟으니까 내 몸무
게는

중력과 동의어라서 절대로 벗어나지 못한다

실루엣, 실루엣, 실루엣,

하이햇이 몰아치는 늘어지는 박자들 속 춤추는가

술잔을 들어 그래 차라리 취하여라

스스로 도는 힘만으로는 그림을 그릴 수 없었을 때

공전하기 위하여 너를 중심으로 궤도를 수정하고
자 했다

무목적적인 질주를 가능케 하니까

이 고백의 주인은 언어가 버린 사생아다

같아, 달라, 일기장에 베인 손을 빨면서 하는 말

시가 세상을 밝히는 줄 알았으나
세상이 시를 밝히는 것이었음을
꼭 취해야만 보이는 유전자가 흐른다 묵
변속기의 속도는 취기와 함께 자꾸만 오르고
그만하자 버릇처럼 말했던 시도들과 함께
세상의 모든 불들과 함께 꺼진다 붙잡아

멸종 이유 보고서

입김은 그대로 얼음이 되어
눈앞에서 깨지는 1월 금 가는 허공
나무는 가지마다 얼어 떨 수도 없다

폐허를 걷는 다리는 따갑다

눈 위가 아닌 얼음 위를 걷기 때문인가
발자국이 남지 않는다

얼음 위로 떨어진 꿈은 난반사되는데
완전히 투명한 공기를 스쳐가는 소리

쨍쨍한 별빛이 내리쬐고 있다

전부 굳어버린 세상이다

멀리까지 마중 나온 주인이 여행객에게 말하는데

늦지 않았군 늦지 않았어
- 그래, 늦지 않았어. 근데 식사는 했나?
머리가 어지러울 정도로 마셨다네

길 위에 얼어있던 노래들을 별빛에 녹여 마셨다네
- 자네 좀 취한 것 같군 그래

들어보게 마신 노래 중 한 가락이 말하길

지난 우주 이곳의 원주민들은
밤이 오면 잠이란 것에 빠져야만 했다더군
왜인지 모르겠지만 잠이란 것에 빠지면
눈을 감고 움직이지 않았더래

원주민들은 그때만 꿈을 꿀 수 있었다고 하더군

그리고 그들은 어느 날부터
별빛이 깨워도 대답 없이 영원히 잠이란 것에 빠졌대
다행히 원주민들은 노래를 남겨 놓길 좋아해서
오는 길에 배부르게 마실 수 있었지

- 무슨 맛이 나던가?

노랫가락들이 하나같이 비슷하더군 그들이 먹히며
말하길
  자신들은 원주민들의 꿈을 녹여 만든 것이었대
  잠이란 것에 빠지지 않아도 그들이 꿈의 맛을 느낄
수 있게 말이야
  그런데 노래에 중독된 원주민들은

노래를 마셔야만 잠이란 것에 빠질 수 있었더래

그들은 별이 뜨나 지나 노래를 맛보았고

조금씩 잠이란 것에 빠지는 시간이 길어졌대

근데 말이야 노래를 만들면 만들수록 꿈의 맛이
나지 않더래

그래서 그들은 마침내 오래된 노래를 전부 꺼내
마셨고

영원한 잠이란 것에 빠져 사라졌다더군

르 아브르 혹은 통영

이 작은 항구 마을에 도착한다면
세상의 끝을 찾아온 사람들을 볼 수 있다
그리고 당신이 절실히 그들을 만나고자 했음을
깨닫는다

사랑 때문에 아주 먼 길을 와야 했던 필연

내밀한 마음은 스스로를 전부 녹일 수 있는
작은 바다를 짝으로 만날 때 비로소 완성된다

퇴역 직전의 배가 뱃머리를 슬며시 부딪히고
멍게나 조개가 허다하게 깔리는
자다가도 일어나 바다로 뛰어가고 싶은 곳*

등대에 올라 이 마을을 비춰 본다면

*백석의 '통영'

드니 라방이 줄리엣 비노쉬**와 마을로 몰래 들어와
그들만의 다리를 세운 뒤 싸구려 포도주를 마시며
은밀한 사랑의 브릿지 게임을 하고
백석은 언덕배기에 있는 널찍한 돌 위에 앉아
그들을 지켜보며 편지 쓰는 광경을 볼 수 있다

중심에서 바깥으로 가고자 하는 진심이
멀어지려는 힘이 이곳으로 밀항하는 것

우리는 그 밀항하는 마음을 눈감아 주어야 한다

항구로 들어오는 배에서 당신이 내려
상상할 수 없었던 작은 마을, 작은 바다를 만난다

이렇게 숨어든 사랑이 있어 마을은 미항이라 불린다

**레오 까락스 감독의 영화 〈퐁네프의 연인들〉의 주연인 알렉스와 미셸을 연기한 배우들. 그들은 파리를 떠나 르 아브르로 가는 배에 탄다.

116

세상의 끝을 조각하다

세상에는 시를 쓰는 사람이 있고 시가 되는 사람
이 있다
나는 시가 되지 못해 시를 쓰는 사람이 되었다

토말土末에서

파도는 모든 중심에서 모든 바깥으로
모든 바깥에서 다시 모든 중심으로
들어왔다가 물비늘을 갈아입고
나아갔다

우주의 하고 많은 별들 중에
별이 되지 못한 행성과 그 행성을 맴도는 위성이
있고
그들의 오랜 사랑 때문에 이뤄지는 조수간만의 차

한 방울 포말인 듯 쉽게 부서지는 환희는 연약
하지만
다시 또 다시 새로운 인력에 이끌려
파도로 내닫고 마는 그리움

떨어져 있는 당신 마음의 모래톱에도
이토록 무한할 것처럼 물이 차는가

무너지던 얼굴에 토말의 바람이 다가와
증발하는 세상으로 마지막 표정을 그려주었다

날이 무딘 눈물의 칼로
다가오는 하늘에 바다와 같은 결의 무늬를 새긴다

세상의 끝에서 우리는 겹겹이 마주할 것이다

3부
엔딩 크레딧

해독解毒

장맛비가 동네의 지붕이란 지붕은 전부 때리고
있다
나무 책상 하나, 연두색 플라스틱 서랍장 하나
누운 몸 하나가 간신히 들어가는 하숙방
몸이 아프다 못해 방이 아팠다

*

또 술을 마셨다
압생트의 초록 요정이 녹음을 더 짙게 만들었다
설탕과 물을 섞은 압생트는 희뿌옇다
여느 독주와 다르다 와일드가 그랬고
고흐와 드가의 그림이
그 술처럼 창백하고 어지럽게 남아있다

비가시의 액체 세상 속으로 독이 퍼지고
그 안에서 초록 악마가 내 입을 지배한다

포크 사이로 녹아 떨어지는 설탕

그렇게 아름다움이 녹아내렸다

피가 탁해진다

*인서트
수술실이다 침대 위에 잘린 발들이 놓여있다
내가 하지 않은 말을 피해 숨은 이곳에서
프랑켄슈타인이 괴물을 만들듯 언어를 만들고는
그들이 수술실 밖으로 나갈까 두려워
발을 전부 잘라버렸네 글자의 검은 피가 흐르는데
침묵하는 장면이 으스러지듯 조용하다

*

애꿎은 필름만 자꾸 끊긴다니까

소주병을 치우면서 그들은 중얼거린다

그러니까 관객이 자꾸 줄어드는 것이었다 라고
전지적 작가 시점에서 서술된다

정신이 들면 내가 무슨 말을 했는지 기억이 안 나
어떻게 여기로 와서 잠들었는지도

필름이 끊긴 부분을 모아서 이으면
하나의 대화가 만들어진다 취한 말들과
취한 말들의 결합으로 지금까지 온 거야

관객이 전부 퇴장하면 연기를 멈춰야 하는데
중독된 배우는 본인으로 돌아오지 못한다

비극이다

*

커튼을 열어보니 비가 계속 내린다

젖어도 젖어도 움직이지 못하고 더욱 젖는 것에 몰입하는
나무, 길, 가로등, 사물들에게
연민을

그들은 나와 같다

*

비트겐슈타인은 논리-철학 논고에서
"윤리학과 미학은 하나다." 라고 선언한다

몰락이 아름답다면 그 몰락은 윤리적으로도 옳다

*

그 무엇보다 뚜렷한 건 내 죽음의 기억

어설펐던 자살 시도는 나를 이 행성에 구속시켰다
죽음의 높이로 내려다 보았던 지상에서
그녀는 지금 내 어깨에 기대어 자신의 죽음을
상기한다

진짜로 죽으려 해 본 적 있어?
그 질문을 반사해 물어본다
진짜로 살려고 해 본 적 있어?
그 질문이 다시 반사되어 내게로 온다

어떤 기억보다도 죽으려 했던 기억이 더 깊이 각
인되고
자살 시도의 순간 엄습한 허무의 숨결이

손목에 위치한 상처의 산맥에 영원히 머문다

산다는 것은 그 산맥을 배회하기를 멈추지 않는
것이다

*인서트 2
고독한 사자가 산을 내려오면서 철장을 부순다
그가 울부짖자 막 내뿜은 담배 연기조차 흩어진다

실어증에 걸린 사람이 술잔을 내던지더니
갑자기 하늘을 향해 입을 가득 벌리고 소리친다

모음과 자음이 제멋대로 하늘로 분출하고
혓바닥으로 빗방울이 뚝뚝 떨어진다

운다

*

우리가 사는 곳은 쓰레기 더미 속일까
쓰레기 더미 위일까
어쨌든 오감을 마비시키는 독한 악취와 함께
우리는 살아간다

비가 그친다는 독백은 비를 그치게 한다

비 온 뒤에, 끝의 뒤편에서

그곳에서 타락하던 인간의 탄력으로
나는 다시 올라가고 있다

극의 탄생 - 배우의 기록

이것은 삭제된 장면이다. 편집된 시간이다. 변질된 목적이다. 가명이다. 가면이다. 파편이다. 연기하지 않는 배우는 최고의 배우다. 그래서 그는 무대에 없다. 관객이 보기에는 공연을 준비하는 일꾼이나 청소부라 할 수 있다. 매진된 기억을 암표로 사는 행위이다. 극장에 입장했다면 늦지 않았든 늦었든 잠시의 공허가 찾아온다. 빈 시공간에 지나간 기만을 연료로 태워 연기를 불어넣는다. 그는 연기할 줄 모르는 배우가 된다. 명명하지 못하는 배역을 맡는 일이다. 무대에 피를 뿌려 조명을 소환하는 일이다. 조명과 관객은 거짓말쟁이를 연기자로 바꾼다. 그들의 의미 없는 손짓이 극을 열게 한다. 누구나 겪은 장면이다. 지금 징하도록 앞에서 느긋이 지나가는 시간이다. 순수한 결집이다. 결핍이다. 이것이 연기의 방법이다.

우산

비를 맞기 위해 온몸을 펼치고 있는 색색의 우산
뼈를 묶어두던 줄을 풀어내면
귀두처럼 느닷없이 팽창한다

여기저기 부풀어 오르는 꽃봉오리들

빗방울의 색깔은 하나지만
피어나는 흉터의 색깔은 사람마다 다르다

가슴을 치면서 아파했을 거야 빗물이 피부를 때리면
이제는 공평히 젖을 생각 지워야지
물을 튕겨내는 이 피부를 봐
네가 울 때도 나는 다 막아 낼 수 있어

부풀어 오른 볼에 눈물이 떨어지면

사실 그 소리는 뼈의 끝까지 흐르고
마디마디마다 가시지 않는다

눈물 대신 우는 소리에 젖은 우산들이 진동한다

우유부단한 대지

세상 모든 결정 장애의 슬픔을 내 안에 가두고
사람들에게 선택의 위선을 떠벌렸다

사랑하는 것과 스스로 옭아맨 책임감 사이에서
상행선과 하행선을 고르지 못하고
내 가슴에 무자비해지도록 기다렸다

혁명은 책으로 배웠고 사랑은 화면으로 배웠다
서울에서도 고향에서도 쓰지 못한 것들
버리지 못한 것들을 치렁치렁 쑤셔 넣고 말이다
말조차 단수와 복수를 정하지 못했다
언제나 혼자인지 함께인지 헷갈렸으니까

밥을 먹을지 술을 마실지 못 정해서
이번 삶을 멈출지 계속 사랑할지 고민했다

결혼하지 못한 사랑 같으니
무책임할지 말지가 최대의 관심사였다

내 잘못을 떠벌리고 싶어 참을 수가 없었다
잘못된 선택만이 날 애무했고
난 그런 상태면 어떤 말의 의미든
손발을 묶어놓고 떠나고 싶었다

허나 미쳐가는 속도만큼이나 안주에 쉽게 굴복했고
비굴하게 사랑을 방치할 줄도 알았다

결정짓지 못하는 것은 나의 대지뿐
다른 길들은 뱀처럼 잘만 기어갔다
아무것도 겁먹는 정령이
내 안에 드러누워 몸을 차지했다

더 이상의 신대륙은 없다

결정 장애의 슬픔을 가두었기 때문이다

2015 아수라 탄생기

  개국 이래 수저 색에 관한 담론이 도는 것은 처음
이었을 것이다. 망국의 조짐이 드러날 때면 그러하듯
사람들은 자신이 밟고 사는 땅을 지옥이라 불렀다.
연이은 보도는 악마 같은 범죄자들을 가시권에 들게
했다. 긍정적인 사람은 부자 혹은 어린아이 취급을
받았다. 사실 그 세 분류는 삼위일체였다. 마음먹은
대로 하려는 습성이 같았으니까. 지옥에 산다고 말
하는 사람들은 서로가 악마라고 생각했다. 사람들은
지상이 가라앉아 선한 사람들은 모두 벌을 받는 숙
명에 처해졌으며 그의 자식들은 태어날 때부터 악마
로 태어나야만 했다고 얘기했다. 그리고 이러한 몰락
은 나라님이 무식한 탓이라고 했다. 실상 그러하기도
했다. 그러나 나라님 또한 사람들의 나라님이지 홀
로 솟아난 나라님은 아닐 터였다. 이 모순 속에서 아
수라는 여기저기 배회하면서 사람들의 생활을 갉아

먹었다. 고통을 참지 못한 사람이 아수라에게 몸을 내주고 금으로 된 수저를 얻으려 한다는 소문이 무성했다. 실제로 그러한 사례를 본 사람은 없었으나 소문과 사실은 아수라와 사람만큼이나 완전히 다르지만 같은 것이 될 수 있는 세상이니까 상관없었다. 그해 겨울은 유독 따뜻했다. 사람들이 지옥이라 부르는 땅을 하늘도 지옥이라 생각하는 듯 순백의 눈을 보내지 않았다. 우리가 아는 많은 사람이 죽었다. 그리고 우리가 알지 못하는 더 많은 사람이 죽었다. 이제 아수라는 모두의 마음에 있었다.

소실점

단어들이 앓는다 내가 쓴 단어들은 전부 조산되었고 누구나 나를 욕할 자격이 있다 어쩌면 유산보다 더 절망적인 조산 어떤 문맥의 어떤 장애를 가진지 관찰조차 불가하며 몇 살까지 살 수 있을지도 모른다 아이를 측은히 바라보는 내 혓바닥을 경멸한다 아픈 말들 앞에서 그토록 침묵한 대가로 나 역시 놀림 받는 단어의 어미가 되었으니까 심박수는 불완전한 직선을 그리며 요동치는데 나는 숨구멍을 시어의 숨구멍을 찾으려 안간힘을 쓴다 몸서리치는 문장들 터지는 피처럼 막지 못하고 흘린 언어의 테이블 위에서 나는 넋을 놓는다 이미지만 남아서 어쩌면 영생인듯한 아이들이 창문 밖에 모여 비웃는다 내 눈에 선명했던 단어들마저 흐릿해지고 야수파의 그림처럼 번지고 있다 유전자를 담지 못해 아무것도 닮지 못했다 그렇다면 나는 입양한 단어를 친자라 속이며 살았던 걸까 아니다 아니다 아니다

138

부정하는 낱말들 언제쯤 어디선가 나는 내 힘으로
제왕절개 하지 않고 단어들을 낳았고 모종의 의미
를 운명처럼 첫 옷으로 입혀주었다 동화 속 이야기
와 같이 결국 아무것도 걸치지 못하고 몇몇은 부끄
럽게 객사했지만 남은 아이들은 건강히 자랐다 하
지만 감기를 앓듯 나는 반복적으로 아파했고 매번
새로운 항생제를 투여하고 싶었다 지금 그 결과로
면역이 생긴 바이러스가 단어와 단어 사이마다 침
투했고 시는 부식되었다 나는 기계가 아니다 내가
버리고 싶어 버린 아이가 아니라고 자위한다 낙태는
하지 않겠다는 다짐이 매번 힘든 수술대와 같이 흔
들린다 나는 고개를 돌리고 시어는 눈을 감는다 함
께 살고 싶었다 하지만 나는 우리의 영생을 원하지
도 않았으며 건강하고 선명한 단어만 낳는 기술도
없다 시인만이 시인의 단어를 눈 감겨줄 수 있다 테
이블 데스

독주를 마시며 연주하는 독주

위스키가 좋겠다 연주할 때는
투명한 보드카는 음색을 입지 않았으니까

손끝으로 입술을 정리하고 차가운 악기와
진한 키스를 한다 공기를 불어 넣으면
커지지 못하고 안으로 소용돌이치는 몸
거세된 세상에도 음악은 이렇게 흐른다

학교를 졸업하면서 악단은 자연스럽게 해체되고
한 벌의 스웨터로 따뜻했던 멜로디는
점점 실이 풀어져 가는 선으로 남는데

원색의 순수함을 술잔이 담아낸다

하나로 남은 음악이 혼자인 사람을 위로한다

합일을 목표하지 않는 사람은 위대하다
외팔의 피아니스트 혹은 두 가지 드럼을 동시에
치지 않는 드러머

독한 술을 따른 술잔을 기울이면
혀보다 코와 술의 표면 사이의 공기가 먼저 마비
된다

그리하여 창문 밖 파도조차 멈춘 순간
고고한 연주는 작은 공간을 지배해가고
생의 온전한 색깔을 내뿜으며 취한다

아폴로

난 인간에게 불을 가져다 준 프로메테우스처럼
사람들에게 詩를 가져다 주러 별에서 지구로 왔지
오늘도 근원은 보이지 않는 밤이지만
詩를 쐬는 사람들은 어둠을 밝히고 따뜻해질 거야
시울에서부터 시율을 세워나가고 그래서
리듬처럼 떠나서도 돌아오게 될 거야 새로운 운율은
불편한 듯 아름답고 불안한 듯 깨달음을 주니
만약 우리가 더 이상 詩를 쓸 수 없다면
詩의 별을 떨어뜨려 별똥별이 되게 할게
그리하여 무수한 詩가 지구를 헤매며 詩人을 찾고
타버린 혜성은 반딧불로 환생해
어둔 밤 빛이 되라 할게

성간 협주곡

지붕에 올랐다
고개를 들면 화면이 바뀐다

송신자를 찾으려 성간을 넘은 어둠은 촉박하다
비릿한 은하수의 내음
별은 저 어둠이 흘린 핏자국이다

이번 삶이 나를 선택했다

그 구속을 연장하기 위해 밤하늘의 젖을 몰래 빤다

우리는 화음이 아니다

쉼표의 길이가 저마다 달라서
음표의 깊이가 저마다 달라서

말과 몸은 다른 연주를 하게 된다

서로 다른 연주는 서로 다른 중력을 생성한다

우리 은하의 끝에서 안으로
어긋난 힘을 타고 이 불협화음은 팽창하고

암흑에서 도망친 연주자는 행성의 지붕에서
별을 마시며 더 깊은 그림자를 쏟아낸다

오텀 리브즈 AND

오텀 리브즈를 듣다 떠나온 당신의 소리를 뜯어
되감기
유하는 바니 웰렌의 나는 크리스 브라운의 음악을
흑백에서 다색으로 변한 화면을 보면서
벽을 마주 앉아 無言으로 침잠하는 젊은 수도승
을 생각하지
잠겼다 열리곤 하는 바닷길처럼 가능성의 시간에
머무르던 감정을
켄드릭 라마 혹은 레피어 든 검사처럼 찌르고
찌르고 또 찌르곤 했다고
너에게 딱 맞은 농담을 했을 때의 환희는 취하지
않은 밤
원하는 킥 드럼을 믹싱했을 때에 비할만했어
연주할 줄 모르는 온갖 악기를 구하러
상가 대신 바다로 떠나곤 했네

예를 들어 통영에서 뭉그적대며 더 멀리 떠나지 못
하는

비눗방울 같은 섬을 볼 때마다 당신 생각이 나지
않았다면

그건 너무 자존심만 세우는 거짓이야

그리고 나는 다음 해에도 봄은 오리라는 당연한
기대처럼

막연한 환상에 도박을 하며 살았다

어찌하여, 소망보다 더, 침묵에 지곤 했던가, 아둔
한 혀

낙엽보다 오래된 마음이 먼저 질 때 재즈조차 잘
라내

고백을 만지는듯한 질감으로 분할된 샘플링 위에서

나직이 추억해보곤 한다 기원에 관하여

지금 말과 가을은 모두 착지 지점을 모르지

되감기 해서야 알아챈 서툰 표정들도 마찬가지

오텀 리브즈 AND

여름비

사랑 노래의 조명감독은 피우던 담배를 떨어트리고
아파 아파 화면에 나온 네 웃음에
옹기종기 모여 앉은 추억이 쿡쿡 쑤셔댄다

별안간 바람개비 돌고
스튜디오에 몰아치는 분홍 예감
티비를 깨부수기 위해선 시가전을 얼마나 벌여야
할까
게릴라는 오늘밤 안테나를 훔치고
길 잃은 별을 저격할 것

영화배우 아닌 연극배우를 만난 날
난 너에게 더 이상 거짓말을 못하게 되었지 거의
벙어리처럼

이제 곧 쌀쌀해질 거야 그러니 어서어서 안아보자

우릴 적시던 더위가 가면

다음 씬 언제쯤 다시 뜨거워할 수 있을까

꽃놀이

취할수록 바람 소리 짙어지고 매화
매화도 같이 붉어지네
삶은 미친년이라는데*
나는 그녀를 미화하기를 그만두었다
동백과 매화는 봄의 새빨간 두 축이고
우리는 위성이 되어 주위를 돌며 목을 축이네
미친년과의 꽃놀이
봄바람에 촉각을 팔고
떨어진 춘백의 머리에 눈을 팔았다
이렇게 다 주고 나면
뜨겁게 다가오는 너에겐 무엇이 남을까
말이 되지 못한 마음이 지긋이
한숨 섞인 소리가 되어 비집고 나오는데
이 미친년은 웃기만 하네 웃기만

*Nas의 노래 〈Life's a bitch〉에서 인용

이리와 봐 나는 너를 끌어당겨
뽀뽀로 그녀의 두 눈을 뽑고 그 빈자리에
떨어진 동백꽃을 통째로 꽂아주네
예쁘다 잔인한 달에 너는
나는 지난 계절 얼마나 무거운 죄를 지었길래
사랑해버리는 가슴을 구형 받았는데
너는 좋아서 웃는 거니 잘됐다고 웃는 거니
한 잔 받아 마시고 남은 꽃은 머리 위로 뿌리고
하늘과 꽃이 같은 색이 될 때까지
이유도 모른 채 계속되는 그녀와의 꽃놀이

뉴 비트 제너레이션

시간 여행이기도 하지
봄을 타서 여름으로 가을을 타서 겨울로
넘겨주기도 하지 아름답지?
아름다운 것과 아름다움은 달라
순간적인 것과 매 순간은 다 달라
짓이겨서 버린 성적표가 구름이 되어 떠올랐네
비가 내리건 말건 마로니에 공원 벤치에서
입 맞추는 연인들 뒤로 소극장이 점멸하네
성결할까 모든 성직자의 기도는
불결할까 모든 죄인의 재판은
때론 시계를 매질하고 싶어진다고
우리가 안을 때조차 시곗바늘 소리가 들린다면
입석이 금지된 기차처럼 끔찍할 거야
경계하는 습관을 경계해야 되네 친구를 가지려면
우리 안에 갇힌 개인은 폐사했었지

풀어진 이름들은 동사무소 컴퓨터를 벗어날 수 없다
난 너의 잃어버린 영혼이야
색만 다른 철쭉에 불과해 우리들은
이 도시에 심겨진 건 아버지의 뜻이니?
아니면 규모의 경제의 뜻?
울부짖는 게 아니야 으르렁대는 것뿐
인당수인 줄 알았으나 직선화된 하천이었을 뿐
선의의 축적이 선한 역사를 만들진 못해
우리는 여전히 전후戰後를 산다
그리고 전쟁터는 멀고 휴전선은 가깝지
훈련 중 자유로를 달리면서 수송관은
한물간 메탈이나 오래된 힙합을 들었네
적어도 군가가 아닌 노래를 들을 수 있다는 것이
자유의 전부인 사람도 있다는 걸
모든 비극이 시간이 지나면

정치의 역사가 되는 것이 슬펐어
그래서 뉴 비트 제너레이션이 되고 싶다지
무심한 퇴근길에 매복할
아름다움의 역사의 반격이라지

라라 행성을 데이트하는 연인을 위한 소네트

얼굴에 불어와 내려앉은 주홍색 별을 떼어내어

너의 깊은 입술 위로 살며시 옮겨주면

구름의 손톱으로 부드럽게 머리를 만져줘

과거 뒤의 과거를 향해 걸어가면서

여렸던 시간은 응고되고 떨어지지 않는 흉터가 되겠지만

그 미래를 향해 영원히 걸어갈 수 있게

말의 얼굴을 두 손으로 따스하게 잡아줘

여기저기 상처받은 표정들을 그대로 이해해주고

가장 높은 하늘의 상쾌함을 느낄 수 있도록

바람의 머리카락으로 그 얼굴을 가만히 문질러주겠니

그러면 내가 너의 입술을 빛나게 꾸며주고

나오는 그 자체로 음악이 되는 목소리를 선물할게

매일매일이 신나는 프롤로그가 될 수 있게

마르지 않는 물랑루즈로 초대할거야

운 만큼 웃다가 죽을 수 있고

담은 만큼 쏟을 수 있는
용기를 낼 수 있는 삶
전나무 그늘을 따라 느긋하게 산책하다가
맥주나 토마토주스를 마실 수도 있고
돗자리를 깔고 노란 들꽃과 애기할 수도 있어
우리가 같이 이 공간을 안아줘요
무정형의 우주가 한 곳으로 집중해 내려왔을 때
그 농도를 담을 수 있는 세계를 위해
손잡고 걸어가는 발자국으로 주문을 걸어요

태아

웅크려있다 펜촉보다도 작은 심장
여린 잎이 매달린 가지 같은 두 팔을 세워 막으며
집중하는 탄생의 마지막 음악
꿈을 꾸지 못할 때 꾸는 꿈의 맥박

두근,
두근,
두근, 두근, 두근
이렇게
두근거리는 가슴의 주인이 너다

눈을 뜨지 않아 자유롭게 뛰는 심장이여
無明은 이제 영원히 박탈당할 잔혹한 운명
세상이 탯줄로 널 잡아 올리기 전까지
부디 기억해두어라 無名의 경이로움을

그리고 눈을 감고 귀가 막히고 코가 없어도
전부 너 자신이었던 감각을 사랑이라 함을

이제 곧 빛이 무자비하게 널 세상에 각인하겠지만
밤이 올 때면 습관이 된 심장은 좀 더 편히 뛰리라
그러나 완벽한 어둠에서조차
그 심장을 불편히 달리게 할 대상을 찾는 것이
빛이 내린 첫 번째 매혹적인 형벌이다

또한 첫 울음의 첫 소리를 토해내자마자
이름을 갖고 싶어 하는 모든 것들이 널 찾아오리니
이 두 가지 형벌이 삶의 악보가 되어
네 全生을 연주케 하리라

지하

기억과 예언이 걸린 회랑에
언제부턴가 서성이며 손톱을 물어뜯고 있다
혼란과 거울, 약간의 의심이 입장료
내고 싶은 만큼 내도 되지만
대부분 운명이 정한만큼

기억이란 죄다 사춘기 아이들 같아서
저 멋대로 옷 입고 나갔다 들어왔다

학교에서 난 신이 되는 꿈을 꾸었다
그리고 굶주리는 아이들에게 편지 한 번 쓰지 못했다

싸움을 배우고 난 뒤 이 관람은 시작한다
그래서 엄마의 뱃속에서부터 발길질을 연습했을지도

수치스러워라 수치스러움을 느낀다는 것은

나는 모든 것과 싸우기 위해
먼저 싸움과 싸워야 했다

나는 모든 것을 말하기 위해
먼저 언어와 대화해야 했다

말하는 순간, 다음 모든 것을 말할 수 없기에
모든 것을 말하기 위해
그렇게 나는 시를 배웠다

보고 싶은 그림만 본다
그리하여 실재와 착각의 유희는
모든 종류의 인생을 운명 짓지

첫 일기장의 첫 장조차 이렇게 조작되었다

노래에 관해 노래한다
벙어리에게 할 말을 가르친다

단종과 라디오

영월에서 숙부에게 죽음을 명령 받은 폐위된 어린 왕과 생몰년 미상의 志士*에 관해 생각한다. 서강은 여전히 조선 땅을 흐르는 줄 알고 말이 없다. 청령포 관음송**은 노산군의 한숨을 기억한다. 그가 한숨을 쉰건 파발마 소리로 선명히 달려오는 죽음이 두려워서였을까, 동대문 밖에서 이별한 그와 마찬가지로 어린 왕비가 생각나서였을까. 관음송은 아직도 궁금하다. 어린 아이를 어린 왕으로 추대한 시대와 그를 쫓아낸 권력의 구조에 관해서도. 관음송과 소나무들은 알 텐데 폐위된 왕이 먹고 싶어 한 과일, 보고 싶어 한 궁녀, 서강 아래로 나직이 내뱉은 숙부에 대한 욕설까지.

*엄흥도는 세상이 두려워 아무도 수습하지 않던 단종의 시신을 수습해 장례를 치렀다. 그 이후의 행적은 묘연하다.
**삼면이 강으로 둘러싸여 배를 타야 접근할 수 있는 영월 청룡포에 단종은 유배되었다. 청룡포에는 줄기가 두 갈래로 나눠진 큰 소나무가 있는데 단종의 슬픈 모습을 보았으며(觀), 그가 우는 소리를 들었다(音) 하여 관음송이라 불렸다 한다. 단종이 관음송의 갈라진 줄기 사이에 걸터앉아 쉬곤 했다고 전해진다.

만약 조선 초기에도 라디오가 있었더라면 어땠을까. 노산군의 죽음은 방송되었을까. 영월 백성들이 이제는 왕이 아닌 한 아이에 대해 어떤 생각들을 사연으로 보냈을지 궁금하다. 세조가 직접 라디오 방송에 출연하진 않았겠지만 신하들이 대신 출연해 정권을 정당화하는 발언을 했을 것이다. 단종의 죽음에 대해서는 짧은 유감 표명을 하고 말았을 것이다. 그렇다면 생육신은 라디오 듣기도 거부했을까. 아니면 변한 세상이 궁금해 몰래 몰래 귀 기울였을까. 이거 하나는 확실한데 엄흥도는 라디오를 부쉈을 것이다. 정권의 말이든 백성들의 말이든 자신의 결심과 행동을 바꾸지 않을 사람에게 그 말들은 소음일 뿐이니. 세상 가장 큰 힘이 죽인 사람의 시신을 홀로 거둔 그는 어쩌면 그 시대 사람이 아니었을지도 모른다. 단지 한 명의 불행했던 아이를 묻을 무덤을 세우려 미래에서 온 사람일지도. 그렇게 쫓겨난 어린 왕이 죽고 그의 무덤을 세운

사람은 홀연히 사라진 사연이 라디오에서 담담히
흘러나왔을 것이다.

고백

세상이 누추해질수록 빛나 보이는 곳들이 있다
더 예전으로는 돌아갈 수 없는 지점에서부터
네가 아르바이트하는 이 도시의 한 동네까지

귀향하지 못하는 마음은 여기서 시작됐어
거기에선 네가 만드는 음식을 먹을 수 없고
기웃기웃하는 설렘은 걱정하는 말들만 아니까
또 어쩜 순수를 다시 찾으려는 강박이었는지도 몰라

처음은 없다 문득 의심이 차지한 몸짓에
읽지 못한 다가옴의 어스름들아 미안해
바보같이 난 철학을 들이대 순간을 해체해버렸어

피 흘리듯 그 사이사이 깨어있어 온
사소함이 비처럼 떨어져 우리 가운데

강을 만들고 난 그 사소함을 절망했지
왜 사랑은 항상 허무의 맥락과 함께 눈뜰까

그래도 단단해서 깰 수 없는 꿈이여
어제의 꿈, 오늘의 꿈, 내일의 꿈에서도 울다
지쳐 깜박이는 영혼을 꼬옥 끌어안아 준 당신의
생활에게
난 말을 처음부터 다시 배웠지

광분하며 토해낸 복수複數로 된 감정의 형용사들
당신은 내 문법이 되어서
모든 말들의 자리를 잡아주었어

달구어진 사랑의 원형으로 모든 실재를 낙인
찍었다

내게 전쟁은 네 눈으로부터 시작되고

네 입에서 끝나

재탄생한 단어들과 부끄럽게 뜬 눈은 거기서

쉬어가지

손끝에 자라는 꽃

꽃집을 지날 때마다 너에게 꽃을 사주고 싶다가
내 손끝에 손톱 대신 꽃이 자랐음 한다
봄에는 산수유가 여름에는 능소화가
슬프고 습한 날엔 하얀 안개꽃도 피고 하는
소리 없이 떨어져도 다시 소리 없이 꽃잎이 차오
르는
촉각의 가장자리, 그곳에 눈물이 떨어지면
빛이 들어오는 곳으로 네가 이끌고
가지런히 손을 펴고 꽃봉오리 열리는 걸 함께 바
라보고 싶다
주먹을 쥐면 으스러지는 그 향기에
응어리진 마음이 풀려버리는
손가락 손가락 끝마다 꽃이 피어나는 상상을 한다

1월의 그 겨울 밤을 기억하면

너는 하얀 목폴라 스웨터를 입고

눈 맞은 나무처럼 서서 나를 기다렸지

이어폰에서는 너와 닮은 단발머리 가수가 부르는

노래의 후렴이 울리고 있었을 거야 우리 둘 다 좋아했던

계절은 다음 트랙으로 넘어갔지만

아직 그 목소리를 하얗게 기억하네

신촌 카페에서 밤새워 쓴 이야기 속 주인공들이

그 당시 가지고 다니던 책을 지금쯤 다 읽었을까 궁금해

너는 내 팔꿈치를 잡고 초코케익을 파는 가게로 이끌었지

달콤한 향기의 농도가 그보다 짙은 적이 있었을까

기억하기 적당한 속도

모데라토 칸타빌레로 우리는 나란히 앉았고

창밖에는 가장 추운 바람이 춤을 췄지만
난 얼굴의 홍조만으로도 따뜻했네
단지 헤어졌다가 다시 만나기 위해
일부러 땅끝까지 떠난 여행 이야기를 들려주었지
세상의 모든 골목을 함께 거닐고 싶은 마음을
내가 만난 땅끝 여인숙의 주인장은
죽은 화가의 그림을 몇 점 가지고 있었는데
시를 남겨달라 청하길래 그곳의 그림들 옆에
내가 쓴 시를 걸기에 한참은 부족하다고 고백했지
주인장은 네게 돌아가라고 말하며
다음 겨울에 다시 찾아오라 했네
대답 없이 짧은 머리를 쓸어 넘기는 네 귓가에
그날따라 안락함이 모여들어
세상에서 가장 편한 귀걸이가 생기는 걸 보았어
난 막 사랑을 말하면서 후회하기 시작했지만 말이야

말하지 않아도 구원의 향기를 느낄 수 있다고

안 그래도 작은 입술을 포개며 너는 나가자고 눈짓
했지

그래서 내 가슴 안에서 하지 못한 말을 장작 삼아
타는 불꽃 주위로

네가 살며시 들어와 손을 내밀어 쬐던 그 그림이

지난 겨울 내내 찬 공기에 걸려 있었다는 걸 알
고 있니

덜컥 말을 먼저 놓은 네가

결국 모든 목소리를 내려놓고 사라졌지만

아무래도 아프지 않은 지금 그 겨울 밤이 떠오르네

여전히 나는 네가 이해하기 힘들어했던 운율로
노래하지만

덕분에 조금 더 명료해진 이야기를 할 수 있게 되
었어

가령 네가 자주 쓰던 빨간 털모자나
즐겨 마시던 홍차라테의 맛 같은 거
밤하늘을 바라보며 너는
빛나는 것이 모두 별은 아니라고 말했지
별은 너무 멀리 있으니까
저렇게 반짝이는 건 분명 가까이 있는 무언가라고
반짝임이 보일 정도의 거리에서 난 이 이야기를
남기네
추위가 지나가 피아니시모 디크레센도로 점점 녹
아서 여려지는 마음을

엔딩 크레딧

영화를 찍을 때는 언제나 사랑에 헷갈리던 날처럼
실제가 된 씬의 기록을 남긴다

#1 필름을 감는다

매실나무의 꽃을 매화라 부른다
배롱나무의 꽃을 백일홍이라 한다

가장 뜨거운 공기를 이겨내고
붉은 뺨을 보여주는 능소화

일 년에 한 번 내려가는 집 근처에서
진한 장미 잎을 주웠다

꽃은 내가 조각할 수 없는 詩다

#2 카메라를 돌리고

인사동의 바람부는 섬은 2층에 있다
친구와 친구의 옛 애인과 술을 마셨다
아프지 않았다
그래서 더 아팠다

#3 슬레이트를 친다

주연은 말(言)을 훔치는 남자다
미희는 이 남자를 도와주려 했을 뿐이다

#4 흔들리는 초점

오늘도 어느 도시에선가 폭탄이 터진다
사지가 찢기며 죽어가는 희생자 아래서
살아남은 사람의 공포의 크기는 얼마일까

죽음이 도처에 있고 삶은 도망간다

테러리스트에게 숭고한 의미는 부재한다

#5 앵글을 좁힌다

심장의 대동맥 저 아래 여러 갈래 갱도가 있다
전구를 달지 않은 그곳을
너는 혀 끝으로 음미한다 음

확 키스를 하고 싶었다

시를 써야 하는 날이 있다
어차피 모든 것은 사랑을 위한 것이었다
죽음까지도 그래야만 한다

#6 입으로 줌 인

미희   (남자의 어깨를 흔들며) 괜찮아요? 괜찮아요?
        추운데 이렇게 계시면 어떡해요.
        왜 이러고 있어요? 저기요, 괜찮아요?

남자는 말없이 미희의 입을 바라본다

#7 화면이 바뀌고

오랜 노래와 같이 마른 잎 다시 살아나

창경궁 담벼락 밑을 메우면

우리는 거리를 걸으며 생각하지

큰 세계와 작은 세계가 있는데

큰 세계가 아프다고 작은 세계가 아파야 할 당위는

없다고

가난할 때 나는 배웠지

장미가 되는 상상이 꽃잎과 동시에 가시를 높게

돋게 해

작은 세계의 울타리를 가꾼다

#8 미장센

이성이 잠들면 악마가 깨어난다

The sleep of reason produces monsters

프란시스코 고야, 에칭과 애쿼틴트, 216×152mm,
1797~현재

#9 인물 소개

너는 겨울이 오면 눈물이 저절로 흐르는 건조한
눈을 가졌다
너는 머리를 염색할 때 눈썹도 같이 염색한다
너는 대추나무가 있는 집에서 자취를 했다
너는 순두부찌개를 좋아하고 자퇴를 했다
너는 모든 냄새를 버티는 법을 터득했다
너는 아버지에게 뺨을 맞고 공무원 시험을 준비
한다
너는 말을 훔치는 남자를 만난다

#10 롱테이크로 찍는다

사랑하는 사람아
당신은 어떤 중력을 갖고 있어 나를 맴돌게 하는가
이것은 공전을 하다가
중력에 더 이끌려 떨어진 운석에 관한 연대기다
이 밤 불 켜진 당신의 창문을 볼 때
나는 빛이 되어 당신의 눈동자로 질주한다

#11 음소거된 장면

대학 동아리에서 만난 선배는 담배를 피우며 말했다
　옛날 노래가 좋은 게 아니라 좋은 노래가 살아남
은 거야

#12 조명을 비추고

폭로된 인간 내면에 박쥐들이 서식함
중력을 이겨내는 힘으로 버티고 있음
사람들이 손전등을 켜고 들이닥치는데
불륜의 현장을 들킨 이졸데처럼 박쥐들은 놀란다
검은 날개를 펴고 동굴 밖으로 날아간 이졸데들은
하나 둘씩 질식사 함

#13 플래시백

　구미에서 대구로 가는 무궁화호 4호 차와 5호 차
사이였을 것이다
　쪼그려 앉아서 카메라를 붙잡고 우는 또래에게서
삶을 보았다

같은 길 다른 기차에서 처음으로 시를 받은 사람이
되어 행복했다

금호강은 겨울에도 얼지 않고 흘렀다 남쪽의 강
물은 더

많은 울음을 데리고 가야 하기 때문이다 나는 그렇
게 기원을

가진 사람이 되어버렸다 하지만 죄책감은 여기서 기
인하지 않는다

#14 다시 화면이 바뀌고

미희   (남자를 부축하며) 근데 어디서 오셨어요?

남자   괜찮아요

미희   (고개를 갸웃거리며) 네? 뭐라고 하셨어요?

남자   괜찮아요

미희   (웃는 얼굴로) 외국인이신가 봐요.

남자   괜찮아요

#15 잠시 필름을 교체한다

2차 세계대전 종전 후 70년 되던 해
프랑스 파리에서만 두 번의 테러가 있었다
많은 사람이 죽고 다쳤다

그리고 더 많은 사람이 우리 모르게 죽고 다쳤다

#16 슬레이트를 다시 친다

검은 눈이 내리고 하얀 까마귀가 우는 장면

거리를 방황하는 주인공

병명은 계절성 정동장애

휘파람을 불다가 한 바퀴 빙그르르 돈다

젖은 담쟁이와 하이파이브

#17 후시 녹음한 장면

저는 사람에게 많은 걸 바라지 않는 사람이 되었어요
뭘 말하고 싶은 건데?
아무 말도 하고 싶지 않아 아무 말이나 뇌까렸어요

#18 미장센

창가의 여인

카스파 다비드 프리드리히, 캔버스에 유채, 370×
440mm, 1812

#19 앵글을 넓힌다

달리는 기차의 창에 빗방울이 대각선으로 흐르듯
속도가 붙은 헤어짐에 넌 그렇게
크게 가로지르며 지나가고 있다

비 맞는 법을 잃어버린 사람들처럼
모든 사람이 우산을 쓰고 지나간다

#20 시놉시스

부조리하다는 말은 부조리하다
등만 보이는 저 사람은 누구인가
짜다는 맛 이렇게나 인간적인
네 혀를 깨물어 먹고 싶다
모든 언어를 포식하고 배 터져 죽으리라
시간은 시계 안에서 흐르지 않는다
울린다라는 말이 울린다
연기 중이다
미희는 남자를 깨운다

#21 마이크를 내리고

사랑한다는 말을 버릴 것

사랑은 성문법이 아니다

#22 카메라를 끈다

#23

남자   이상한 사람이네. 괜찮아요
미희   (당황하며) 왜 자꾸 같은 말만 하시는 거
      예요?
남자   괜찮아요. 이상한 사람이네

미희는 한숨을 쉰다

#24 필름을 튼다

이상한 사랑이네 이것은
그래서 그렇지 않고 그렇지 않아도 그렇다
가을바람을 딛으며 오른 뒤
갈라진 별들이 이어지며 별자리가 되듯
우리가 충돌하지 않으려면 아름답게 남으려면
이 거리를 감당해야 하는 것일까
그야말로 이상한 사람이네 우리는
이상한 세계네 이곳은

벚꽃이 지고 시간도 져서 벚나무의 단풍이
핏빛으로 초겨울을 물들이고 땅을 덮어줌을

몸에서 떨어진 시가 이와 같았다

혜화동과 성북동 골목을 헤치고 다니며 보았다
차가운 새벽 아무도 없어도
이 거리거리에 잠든 세상아 행복한가
말이 없어도 미희야 너는 지금 어떤 눈을 갖고 있니

눈맞춤 기피증이 발병한 지 몇 년째
입맞춤 기피증이 발병할 것이다

빈 구멍이 된 눈과 모조리 헌 입술 안으로
손가락을 집어넣어 만져야 하리라

즉, 되감기 하게 될 것이다

무제

눈 내린 겨울 바닷가
어린아이가 빨간 손으로
모래성을 쌓습니다

당신은 제 심장에 몇 번이나 성을 쌓으셨습니까

이도형

『오래된 사랑의 실체』, 『이야기와 가까운』
세상에는 시가 되는 사람과 시를 쓰는 사람이 있다.
n024221@naver.com
@siul_andlees

청춘문고 017

오래된 사랑의 실체

2019년 4월 3일   1판 1쇄 발행
2023년 8월 28일 1판 2쇄 발행

지 은 이 이도형
발 행 인 이상영
편 집 장 서상민
책임 편집 이상영
디 자 인 서상민, 오진희
마 케 팅 이인주
펴 낸 곳 디자인이음
등 록 일 2009년 2월 4일:제300-2009-10호
주   소 서울시 종로구 자하문로 24길 24
전   화 02-723-2556
메   일 designeum@naver.com
blog.naver.com/designeum
instagram.com/design_eum

＊잘못된 책은 바꾸어드립니다.